哲学問答2020

ウイルス塹壕戦

千坂恭二｜Kyoji Chisaka

第一次大戦で、エルンスト・ユンガーの命を救った鉄兜

現代書館

まえがき

近代としての十九世紀に対して二十世紀は現代とされていた。第一次世界大戦に始まりソ連の崩壊で終わる「短い二十世紀」（ホブズボーム）ともいわれるが、その二十世紀も終わり二十一世紀となり、現代も二十世紀から二十一世紀へと移った。ある意味で二つの「現代」があるようなものだが、では、二十世紀としての現代と、その後の二十一世紀としての現代は何が異なるのだろうか。簡単にいえば、近代がナショナリズムの時代なら、二十世紀的現代はインターナショナリズムの時代であり、続く二十一世紀的現代はグローバリズムの時代といえよう。インターナショナリズムは「国際」的であり、グローバリズムは「地球」的とされ、同じもの、あるいは似たようなものと受け止めるむきもあるが、実は、全く違ったものだ。この違いが、二十世紀と二十一世紀という二つの「現代」における思想や文学、芸術、政治、経済その他の各分野における違いを作り出している。本書は、そのような「現代」について、思想、文学、芸術、歴史、政治、経済その他の分野に関連して、私が、日頃思っていたこと、また思いついたことを思いつくままにＳＮＳに書いていたことをまとめたものである。

私が、思想の世界に足を踏み入れたのは一九七一年であり二十一歳の頃だった。アナキズム論を皮切りに、バクーニン論を書き、さらにマルクスやシュティルナーからエルンスト・ユンガー、蓮田善明、三島由紀夫その他についての文章を書いていたが、一九八〇年前半の頃、当時の思想状況やその在り方に対して否定的となり、国内亡命とでもいうような案配で隠遁を始めたのだった。一九七〇年に東京に行き、そのまま東京に住んでいたが、一九八七年に大阪に戻り、思想書は読んでいたが、自分で執筆することはほとんどなかった。ところが、私の知らないところで、私を覚えていてくれたり知っている人がおり、思想の世界から〝行方不明〟になっていた私を探してくれたりしていた。そのような中に、一九六八年闘争期（全共闘運動期）以来の友人がおり、私にＳＮＳを勧めてくれたのだった。パソコンは、隠遁していた一九八七年頃から始めており、暇に任せてMixiを始めたのは二〇一〇年前後になるだろうか。するとそれを見た、かつての私を知る人たちから連絡が入り、少しずつではあるが、思想の世界に再び関わるようになった。

本書の文章は、私がTwitterに書いたもののうち、「まさに、新型ウイルスは電撃的に到来した」（本書31頁）本年の三月から八月までの六か月の発言の一部と、それと相互補完的にFacebookに書いていた少し長めの発言から適宜選択したものから構成されている。TwitterもFacebookも、二〇一〇年頃から始めているので、発言の全体は、ボリューム的には本書の二〇倍くらいにはなるだろう。

私にとって、TwitterもFacebookも、思いついたことを書く日記のようなものであり、ほとんどが思いついたその時に、思いついたままに書いている。その意味では自動記述とまではいわないが、半ば、それに近く、だから時には、舌足らずであったり、癖のある言い回しをしている時もあるかもしれない。しかし、それだけに、論文やエッセイとは異なり発言の現場の息づかいが出ているのではないかと思う。なお、収録した発言に、期日が、少し前のものが混じっていたりするが、それは、この三月から八月の間に、Facebook の過去再録システムに従ってシェアしたものを Twitter に反映させたものでもある。また元の発言にあった誤記等については訂正してある。

二十一世紀においては二十世紀の思想、文学、芸術、政治、経済は、そのままでは通用しなくなっている。それはインターナショナルな時代には別なる世界があったが、グローバルな時代には商品の汎通的な地球化により、それがなくなったことによる。そのような現在の認識について、本書における私の発言が、何かを喚起するものとなりえたならば、それ以上の喜びはない。

本書は『思想としてのファシズム――「大東亜戦争」と１９６８』を結城加奈さんとともに担当していただいた茂山和也氏からのお話による。私が、ＳＮＳに書いたものを茂山氏は丁寧に読まれており、氏との共同作業で本書は成立したといえる。ここに記して感謝の言葉を述べたいと思う。

二〇二〇年九月一七日

千坂　恭二

目次☆哲学問答２０２０年——ウイルス塹壕戦

目 次

5月　半ば永遠の退屈さの漂う最前線 —— 242

6月　イロニーは世の中にいながらいないようなことだ —— 250

7月　アジールとしての東方会 —— 254

1
哲学問答 2020

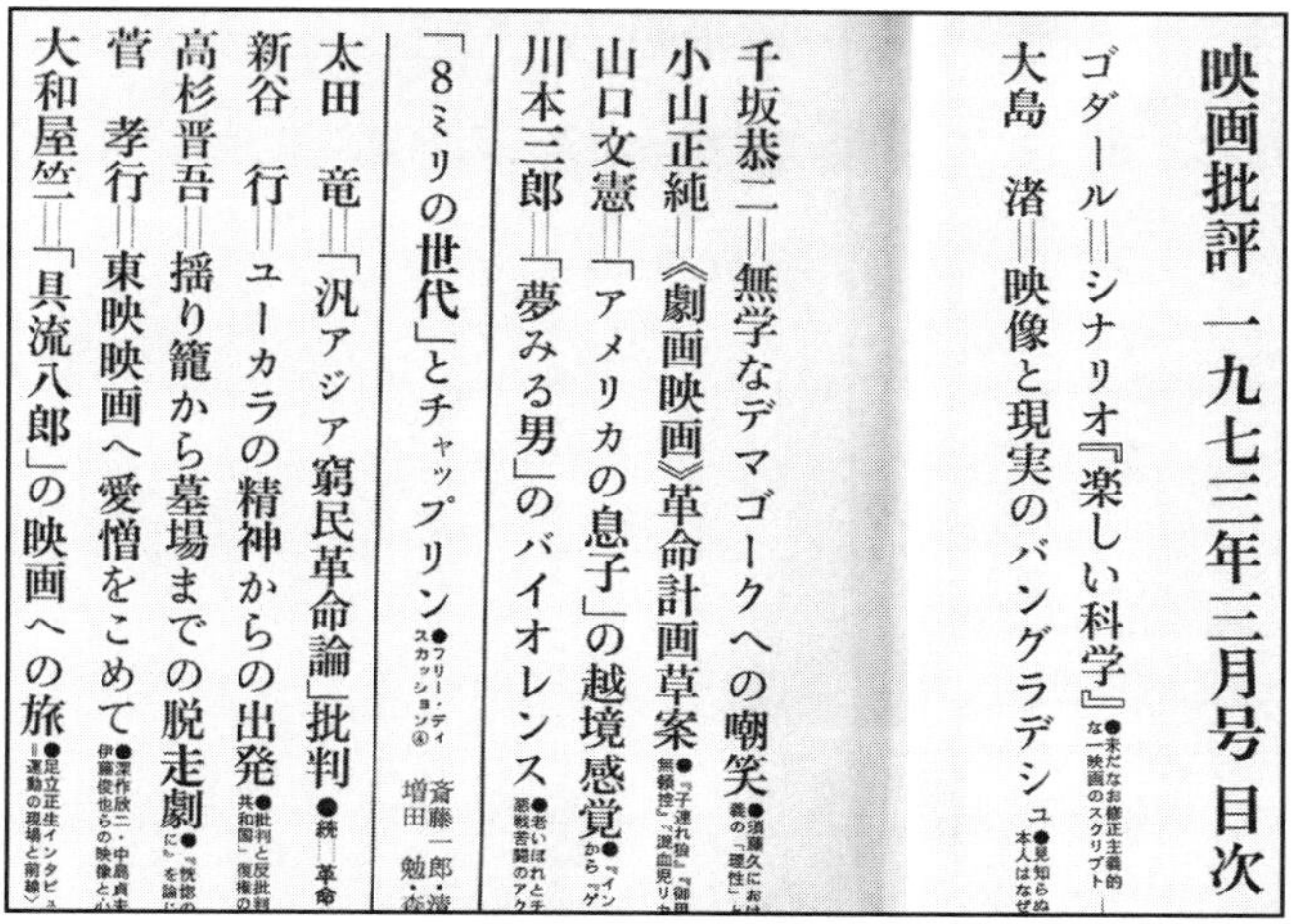

映画批評 一九七三年三月号 目次

ゴダール――シナリオ『楽しい科学』●未だなお修正主義的な一映画のスクリプト

大島 渚――映像と現実のバングラデシュ●見知らぬ本人はなぜ

千坂恭二――無学なデマゴークへの嘲笑●須藤久における「理性」

小山正純――《劇画映画》革命計画草案●『子連れ狼』『御用無頼控』『混血児リカ』

山口文憲――「アメリカの息子」の越境感覚●『イン』から『ゲ』

川本三郎――「夢みる男」のバイオレンス●老いぼれと悪戦苦闘のアク

「8ミリの世代」とチャップリン●フリー・ディスカッション④ 斎藤一郎・増田 勉

太田 竜――「汎アジア窮民革命論」批判●続……革命

新谷 行――ユーカラの精神からの出発●批判と反批判 共和国」復権の

高杉晋吾――揺り籠から墓場までの脱走劇●『恍惚の に』を論じ

菅 孝行――東映映画へ愛憎をこめて●深作欣二・中島貞夫 伊藤俊也らの映像と心

大和屋竺――「具流八郎」の映画への旅●足立正生インタビュー＝運動の現場と前線〉

松田政男編集の『映画批評』

◇3月 物理力を禁欲的に内包しない思想は憂鬱を分泌する

■ニーチェの生涯とは本質的に無観客の一人芝居

「無観客○○」ということだが、『マリー・アントワネット』などの伝記文学で知られるシュテファン・ツヴァイクによれば、ニーチェの生涯とは本質的に無観客の一人芝居のようなものだったらしい。

2000年3月1日

自分の気持が他者に通じると考えている人は少なくないが、実際は、他人には通じない。他人に通じるとか、他人が理解できるというのは傲慢であり、出来ることは、理解出来ない他人を、理解出来なさにおいて許容することだ。自我にとってのその他人が、愛する存在であっても。

2017年3月1日

自我というと近代自我という言葉もあり、近代的なものと思われがちだが、その内実は意外と封建的なもの、封建的な責任論のようなものではないだろうか。親しいアナキストやダダイストに意外と封建的なメンタリティを持った者がおり、またエルンスト・ユンガー（＊217頁参照）やマルローが日本の切腹を自我と関連づけている。

2017年3月2日

封建的な責任論は、主君への忠義論になるが、そこには公的根拠がない。封建制の主君と家臣の主従関係は、本質的に私的なものだからだ。近代の自我は当初は神を背後に持っていたが、神が自己化されることで自我は無根拠になる。その無根拠な自我の存立可能性として封建的な無根拠の忠義論が考えられる。

２０１７年３月２日

封建的な忠義論は、主君への忠義だが、近代の自我においては自己への忠義になる。つまり、自己の自己への忠義が、近代の独立した自我を可能としたのであり、そして、この無根拠な忠義こそが、自我における自己確立とニヒリズムの秘密だろう。もし、無根拠な自己への忠義が無ければ、自我は解体しよう。

２０１７年３月２日

芸術には、タイプ的にいえば、全て交換価値としての自己のセールス芸術と、特定の使用価値のためのプロパガンタ芸術のいずれかだろう。政治への従属を拒否し、自己目的化した芸術はセールスとなり、市場での商品性を拒否する芸術はプロパガンダとなる。

２０１７年３月３日

ファシズムとボルシェヴィズムの芸術は、本質的に、理念のためのプロパガンダ芸術だ。プロパガンダというと自立的芸術は批判的になるが、自立的芸術は商品として市場に従属しているにすぎない。シラーが提唱した感性的な古代芸術に対する批評的な近代芸術は、プロパガンダ性を内包するのではないか。

２０１７年３月３日

私は、蓮田善明や三島由紀夫が評価した『古今和歌集』と、左翼のプロレタリア文学にある種の共通なものを見る。それは創作における批評意識の重要性であり、シラーが言い、ボードレールが指摘したのもこれだろう。批評意識とは問題意識であり、そこに理念を見たならば、俗にいうプロパガンダとなろう。

２０１７年3月3日

20世紀初頭に現れた全ての前衛芸術は、未来派、ダダ、表現派から抽象派、構成派その他、全て表現の根拠のプロパガンダ派だろう。そうであることによって市場の奴隷と化した、売れなければならない芸術に対する批判に成り得たのだ。そしてこの構造は、複雑化しているとはいえ、現在も変わりはない。

２０１７年3月3日

不純な動機というものがある。表向きはもっともなことを言っていながら、邪《よこし》まな目的を持っていることだが、それに擬《なぞら》えれば、不純な芸術と純粋な芸術がある。一般には純粋な芸術の方が評価されるが、これは市場での奴隷芸術であり、不純な芸術は、芸術でありながら市場を批判する邪まな目的を持つ。

２０１７年3月3日

優越感と誇りは、時として混同されることがある。両者には重複するところもあるが、それでも優越感と誇りはまた別のものだ。誇りのない優越感もあれば、優越感とは無関係な誇りもある。それは優越感が劣等感と共に対他的なものであるのに対し、誇りは卑下と共に対自的なものだからだろう。

２０１９年3月2日

■ナチス・ドイツは「帝国」ではない

ナチス時代のドイツを「帝国」だと勘違いして理解をしている人は少なくないが、ナチス・ドイツは「共和国」であって「帝国」ではない。ヒトラーの政治身分も「首相」であり「皇帝」ではない。要はドイツ語の「ライヒ」を帝国と訳したからだろうが、ワイマール共和国もライヒであり、ライヒは帝国ではない。

２０１９年3月2日

例えば「Das Dritte Reich」は、ほとんど常に「第三帝国」と訳されるが、これは「第三の国」と訳す方が正しい。Reich（ライヒ）は、Land（ラント）に対する全国性を意味する語であり、皇帝の国としての帝国とは別だ。またこの「第三」も、神聖ローマ帝国や所謂第二帝国に続くものとする見方も間違い。

２０１９年3月2日

もし、ナチス体制に近い帝国があるとすれば、それは、古代ローマにおけるアウグストゥスの称号を受けたオクタウィアヌスの元首制との近似性だろう。

２０１９年3月2日

ヒトラーのドイツとムッソリーニのイタリアは似たようなものと見られているが、かなり違う。ヒトラーは共和国大統領の委任で首相となり、ムッソリーニは国王の委任による。ドイツはヒンデンブルク死後、大統領は不在となり、ナンバー2のヒトラーがナンバー1を代行するが、ムッソリーニは国王の下のナンバー2のままである。

２０１９年3月2日

例えば、ヒトラーがイタリアを訪問する際、記録映像を見れば分かるが、ローマの駅に降り立つヒトラーが最初に握手をするのはイタリア国王であり、次いで、その横に立っているムッソリーニと握手をする。国王が臨席する場合、ムッソリーニは常に、国王に続くナンバー2の位置にいる。

ムッソリーニが、バドリオのクーデターの際に、ファシスト評議会で解任されたのに対して、ヒトラーは、シュタウヘンベルクらにより暗殺されかけたことも、両者の違いによる。イタリアは国王がナンバー2の解任権を保持していたが、ドイツは大統領が不在のままだったことによる。

２０１９年３月２日

戦前の日本資本主義論争においてマルクス主義者を二分した講座派と労農派に準えれば、イタリアのファシズムは講座派的で、ドイツのナチズムは労農派的というところかもしれない。

２０１９年３月２日

ヨーロッパにおいては、勝手に帝国になることは出来ず、帝国となるにはインペリウムを継承しなければならない。神聖ローマ帝国は西ローマ帝国の、ロシア帝国は東ローマ帝国の、またナポレオンの帝国やビスマルクによるドイツ帝国は西ローマ帝国のインペリウムを継承している。

２０１９年３月２日

フェテシズムについての石塚正英氏（私の20代のバクーニン思想の考察において参照させてもらった）の理論でゆけば、現天皇は、神武帝を祖とする皇統の担い手（Dasein）であるからという理由での信奉は偶像崇拝となり、現天皇をそれ自身において信奉する立場は物神崇拝となるといえるかもしれない。

２０１９年３月２日

暴論といわれるだろうが、誤解を恐れずにいうと韓国が対日関係においてヘゲモニーを握ろうとするならば、日本を加害者に、自らを被害者にしたままでは無理だろう。能動性には加害性があり、韓国は自らの対日的な加害性を見つけた時、被害者にした日本に対して能動的なヘゲモニー性を持

２０１３年６月４日

ち得るだろう。

なぜ被害的立場は能動的なヘゲモニーを取り得ないのか。それは、被害的立場が待ちの立場だからだ。加害的立場からの謝罪を待つ限り、その待つことに拘束され、関係における自らの在り方を、待ちの超克へと至らし得ないからだ。

2020年3月4日

加害と被害では、加害の側に能動性があり、関係性におけるサド・マゾ問題では、ヘゲモニーはドゥルーズがいうまでもなくマゾにある。その意味で、被害者からの批判に対する加害者のマゾヒズムこそが能動的ヘゲモニーの基本的立場となるだろう。

2020年3月4日

現在の思想状況がつまらないのは、研究者と批評家ばかりでイデオローグがいないからだろう。研究者や批評家と異なりイデオローグは、言説の確信犯的なニヒリストでもある。良質なイデオローグの言説にはほぼ必ず構造的なユーモアがあり、そこに研究者や批評家が取りこぼす現実があったりする。

2020年3月4日

ニーチェの『道徳の系譜』は、道徳的な善悪の由来について問うたものだが、同時にそれは、人間にとって、そもそも問題とは何なのかということを問うてもいる。人間は、何かを問題にするが、問題にする動機や問題とされる内容は何かということだ。これはイデオロギー形成の裏面史の要素も持つ。

2020年3月5日

2017年3月5日

人類の死滅は、現在の思想の重要なテーマの一つであり、また人類死滅の時期も計算可能となっている。現実は、人類死滅は、はるか先のことだが、ある意味で人類が死刑囚のようになり、その後には意識的なものが皆無とするならば、人間には、今の問題として倫理が理論的に不可能になる。

２０１８年３月１日

人間は物覚えが悪いことや、忘れることを否定的に見る傾向がある。しかし、忘却を肯定的に見たのがニーチェだ。彼によれば、人間は忘れる能力があるから生きてゆけるのであり、もし、忘れることがなければ発狂するのではないかとまで言っている。何でも出来るのは害であり、出来ないことは必要なのだ。

２０１７年３月５日

世界史のヘゲモニーは、両次大戦を経てヨーロッパからアメリカへ移った。これは、単に国や地域の移動ではなく、問題を処理する在り方が変わったことでもある。それは、時間から空間へ、と言える。ヨーロッパが歴史ならアメリカは地理であり、未来志向ではなく移動志向が基軸となる。

２０１７年３月５日

カルト宗教の多い国は、もはやカルトではなくなった大宗教やそれに該当するものがない国だ。カルトはそれらの国では権力とは別な精神的権威の代替でもあるといえる。もはやカルトではなくなった大宗教やそれに該当するものが基軸にある場合、カルト宗教の多い国のような諸派カルトは少なくなる。

２０２０年３月６日

■中国の本体は古代のままである

良いか悪いかとは別問題だが、中国の問題は、近代の服装をしているが、中国の本体は古代のままという点にある。魏晋《ぎしん》南北朝の頃に封建制が成立しかけたが未遂であり、その結果、中国には権力と民衆の間の中間体制が形成されず、皇帝が共産党主席に変わっただけで、その意味と現実は何かということだ。

2020年3月6日

韓国は事大主義的に中国に追随的といわれるが、これもまた良し悪しとは別に、朝鮮半島にも封建制が成立しなかったことによる。日本が併合する前の李朝の朝鮮に至るまで古代の延長が続き、現代の韓国もその延長にある。中国と比べると比較にならない小国であるため目立たないだけにすぎない。

2020年3月6日

中国は共産党が巨大カルト的存在となっているためカルト宗教に対する弾圧が行われ得るが、韓国の場合は、権力の基盤の民衆化の度合いが強い分、権力は相対化され、その分、権威の代替としてのカルト宗教の伸長が大きくなる。

2020年3月6日

中国とアメリカの地球をめぐるヘゲモニー闘争は、近代不在の、古代としての中国と現代としてのアメリカによるものであり、中国とは逆の意味でアメリカには近代はない。それはアメリカには封建制がなかったからであり、ヨーロッパとアメリカの違いもそこにある。

2020年3月6日

人類の歴史において戦争と伝染病の蔓延は、人口を削減する結果をもたらしてきた。ある種の人口調整のような役割を持っていたといえる。しかし戦争は第二次大戦と冷戦期の地域戦以降、規模は小さくなり人口調整的ではなくなった。病気を文明史的に見れば、残るは規模はともかく伝染病の蔓延だけか。

２０２０年３月６日

皇帝を頂点とするのが帝国であり、王（国王）を頂点とするのが王国だが、同じように君主国と見られている。近代においては皇帝と王の違いは微細なものになったが、それでも歴史的に皇帝と王とは違い、従って帝国と王国も違う。君主制における帝国と王国の違いはやはり正確に見ておくべきだ。

２０２０年３月７日

強弁という言葉があるが、どのような立場であれ、それらしい理論による普遍的な批判に対応する強弁は可能だ。逆にいえば、どのような立場であれ批判は可能だということにもなる。というのも物事に善悪はなく、全ては立場であり、対立は立場の相違にすぎないからだ。悪人が栄えることも立場にすぎない。

２０１８年３月８日

つまり善悪を基準にした理論は脆《もろ》く、いつでも、そしてどのようにも反論され得るということだ。その意味で、批判対象や敵対する立場を善悪的視点から悪と断じて批判や非難する立場は、世の中の政治に多く、一見、勢いがありそうだが、実は意外と脆く、崩れやすいだろう。

２０１８年３月８日

古典とされる思想書を読む場合、その著者がヘーゲルであれマルクス、ニーチェその他の誰であれ、そこに記された思想を、その著者の意識に還元してはならない。その著者の意識さえ無自覚だった、そしてその無自覚を存在させた構造を、精神のメカニズムではなく意味として抽出することだ。

ハイデガーの『存在と時間』と、ユンガーの『労働者』（月曜社）を、同時代的な著作として比較して読むと面白い。そしてハイデガーが市民の生の不安から、ユンガーが兵士・労働者の死の恐怖から世界をどのように解析しているかよく分かり、どちらが現在に繋がる思想であるかも分かる。

２０１８年３月８日

（＊220頁参照）

もう一つ、これにルカーチの『歴史と階級意識』を併読に加えれば面白い。リュシアン・ゴルドマンは、『ルカーチとハイデガー』で両人の関係性を考察し、またユンガーの兵士・労働者の視点には、ルカーチが関係した左翼の労働者・兵士レーテとの通底性を見ることも出来るだろうからだ。

２０１８年３月８日

ユンガーの『労働者』は、射程の長い著作であり、単に戦間期の精神やファシズムやナショナル・ボルシェヴィズムに関連した著作ではなく、むしろ現在のポストモダン以後の現実に対したものともいえる。つまり、『労働者』は市民としての人類不在の、兵士・労働者としての物自体を問うているのだ。

２０１８年３月８日

マルクスにしろマルクス主義にしろ、かつてのように党派的に捉えるのではなく、マルクスやマルクス主義と対立した様々な思想、例えばプルードンやブランキ、バクーニン、ヘーゲル左派その他をも含めた、それ自身の上位的立場として考察すべきだろう。そうでなければ党派的偏狭さが仇になるからだ。

２０１８年３月９日

西川長夫『パリ五月革命 私論』（平凡社新書）は購入したものの、パラパラと頁をめくっただけで、しばらく放置状態にあった。（＊224頁参照）

２０２０年３月10日

●メルケル首相の来日とドイツの歴史的過去への「直視」と「反省」について（＊228頁参照）

２０２０年３月10日

M・イーストマンの『レーニン死後』（風媒社）は古証文的な文献だが、副題にあるように「トロツキー圧殺とスターリニズムの擡頭」を、つまりレーニン死後のボルシェヴィキにおけるスターリンを筆頭とする一派のヘゲモニー確立の経緯を扱っている。

イーストマンの文献とまったく関係ないが、「レーニン死後」を、「義家死後」にすれば、八幡太郎義家死後の源氏の推移がヘゲモニー闘争の様相から見えてくる。（＊272頁参照）

２０２０年３月10日

蓮田善明といえば、日本の敗戦時に陸軍中尉としていた任地のマレー半島のジョホールバールでの衝撃的な自決と、若き三島由紀夫を発見し、また三島の感情教育の師として、さらに１９７０年の三島の市ヶ谷での自決と関連して知られている。（『思想としてのファシズム』に詳述）

２０２０年３月10日

三島の死は、筋肉に失恋したための筋肉との心中といえるが、表向きは憲法改正問題に絡んでいる。しかし、なぜ、憲法改正のようなくだらない問題を題目にしたのか。三島の『文化防衛論』からすれば、憲法など関係なく文化防衛の武装親衛隊さえ作れば良いのであり、自衛隊の国軍化など二の次ではないか。

２０２０年３月13日

三島が文化防衛の武装親衛隊ではなく、自衛隊の国軍化を主張したことは、彼がファシストになりえなかった現実でもある。三島は、英霊の声から昭和天皇という当時の現存在的な天皇を批判し、東大全共闘に「天皇と言ってくれれば」と言ったが、ついに彼は、昭和天皇に対する天皇を見つけられなかった。

２０２０年３月13日

民主主義でファシズムやスターリニズムが批判出来ると思っていたり、ファシズムやスターリニズムの「全体主義」に対して民主主義の方が、自由であり肯定的なものと考える立場は多いが、民主主義もまた、実は先進資本主義国の「全体主義」であることが看過されている。

２０２０年３月13日

民主主義が、なぜ自由で肯定的に見えるのかといえば、数世紀という長い時間をかけて、その「全体主義」を成熟させたからだ。それに対してファシズムは短時間で競争しようとし、またスターリニズムは前資本主義のスタートゆえに、その分、全体主義性が民主主義より荒っぽく野蛮になったのだといえる。

２０１８年３月14日

スラヴ派のバイブルといわれる『ロシアとヨーロッパ』を書いたニコライ・ダニレフスキーは、近代の世紀末ロシアにおいてシュペングラーに先駆する歴史思想を展開し、ロシア思想史では「唯美派のニーチェ」と綽名されたコンスタンチン・レオンチエフと並ぶ反動的思想家である。

２０１８年３月14日

２０２０年３月14日

■三島由紀夫は何を見てほしかったのか

三島由紀夫は、自分の作品に対する評価を常に気にしていた。三島ほどの作家であれば、批評家や世間の見方など無視してもいいと思うが、そうではなかった。これは三島由紀夫という作家を考える場合、重要なのではないか。そしてそれは彼の虚構としての文体と大きく関係する。

2020年3月15日

つまり三島は、見られたい、見てほしい作家だったのだ。では、何を見てほしかったのか。いうまでもなく、本当の三島だ。それは彼の虚構としての文体と大きく関係するが、問題は、本当の○○なるものは、あるのかということだ。

2020年3月15日

三島が好んだバタイユに、死に至るまでの生の高揚というエロティシズム論がある。ここでいわれる「死」とは何か。それは比喩なのか実際の死なのか。もし、実際の死であるならば、そこには「生の高揚」などはない。なぜなら、死とはそもそも生の否定だからだ。

2020年3月15日

死の直前の瞬間における生の高揚がいわれるかもしれない。しかし、そのような生の高揚など踏み潰し、端から無かったものにするのが死なのだ。

2020年3月15日

三島は自分の生首を見せるストリッパーだったが、自意識の無い首は、もはや三島の首ではなく、従って三島は、自分を見せるストリッパーにはなりえなかった。なぜなら三島の思いは、生首に自意識が残らなければ不可能だからだ。

2020年3月15日

戦間期のエルンスト・ユンガーに「英雄的リアリズム」という立場があるが、これは不思議な境地だ。英雄的とは勇敢であることだが、リアリズムには臆病な要素が必要だ。それはユンガー特有の複眼的視点になるのだろうが、問題は英雄的が形容詞であり、リアリズムが名詞であるところだろう。

2020年3月15日

親爺ギャグではないが、死が詩的なものとすれば、生は散文的といえるだろう。所事雑事をあれこれと処理していかなければならない。三島由紀夫に『詩を書く少年』という短編があるが、三島は詩を書く詩人ではなく、小説という散文を書く作家だった。三島は散文に耐えられなかったのだろうか。

2020年3月15日

経済政策がうまくいかず、経済問題になす術もない支配者にとって、今回の新型コロナ・ウイルスは天祐のようなものだといえる。すべてを新型コロナ・ウイルスのせいに出来るからだ。

2020年3月15日

思想・表現の自由を肯定的に主張するケースが多いが、思想や表現に従事する者は、「思想・表現の自由」を肯定的に言ったとたん、資本主義に負けており、資本主義に取り込まれていることを知る必要がある。そして資本主義つまり思想・表現の自由こそ、思想や表現が突破しなければならないことだ。

2019年3月15日

思想から革命的傾向がほぼ一掃され、現状の手直し的改革ばかりとなっているのは、現実に何らかの既得権を持つ学者、研究者、ジャーナリスト、評論家の副業と化しているからだろう。革命は彼らの既得権を潰すため、彼らは改良にかまけることになる。かくて思想は勉強に、政治は政策にされてしまうのだ。

2018年3月15日

ヨーロッパには、コロナに関連して食料や医療関係以外の営業は停止するという国がある。ジョルジュ・ソレルが『暴力論』(岩波文庫)で展開したゼネストではないが、これは国家の側からの対抗ストライキのようなものかもしれない。

2020年3月16日

植松聖《さとし》の件についても「罪を憎んで人を憎まず」のような見方があるようだが、植松に限らず、全ての犯罪については、「人を憎んで罪を憎まず」で行くべきだ。なぜなら、どのような罪にも、泥棒も三分の理のような背景があるからだ。しかし、背景如何に関わらず実行者は許されるべきではない。

2020年3月17日

訃報。松田政男さんが死んだ。享年87歳。松田さんは、私には特別な存在でもある。というのも、大阪から東京へ来た高卒の、しかも20歳そこそこのアナキストという、ある意味では東京の左翼の運動や思想の界隈では正体不明ともいえる私の思想を、「無政府主義の新たな地平」として評価し、松田さんが編集する雑誌『映画批評』に原稿を書くよう勧めてくれたからだ。(*231頁参照)

2020年3月18日

まだオリンピックがどうのという話があるようだが、オリンピックどころのはなしではあるまい。場合によっては、世界を転覆させるような経済の崩壊に至る可能性がある。この可能性をどのように受けとめるかが真骨頂として問われよう。まさに、新型ウイルスは電撃的に到来したのだ。

富裕層の一人勝ちであり、世界の民営化により富裕層が地球を私物化するグローバリズムはなかなか動かないと見られてきたが、戦争ではなく新型ウイルスがグローバリズムに裂け目を入れ秩序を削りつつある。某国の政権は、これを戦争と捉えたが、それは意味的には内乱への対抗でもあるのだろう。

2020年3月20日

ダダは叫ぶだけなら、単なる実存主義のつまらない一派にすぎない。ダダに必要なのは、叫びではなく物理力なのだ。

2020年3月20日

なぜナチスは武装親衛隊という独自の軍隊的な武装組織を形成したのか。そこには様々な理由があるが、要するにドイツ陸軍を警戒していたことが大きい。プロイセン（プロシア）的伝統を持つ陸軍は、国内亡命の場となったように、ナチス時代における反ナチ派のアジールの要素が少なからずあったからだ。

2020年3月21日

プロイセンは、しばしば軍事国家といわれる。国家が軍を持つのではなく、軍が国家化したというわけだ。軍事国家は、ある意味で後発資本主義の一つの形態だろう。というのも後発資本主義は、短いスパンで先発資本主義との対抗が求められるからだ。

2020年3月21日

近代日本は、イギリスやフランスではなくプロイセンのヘゲモニー下に統一されたドイツを近代化のサンプルとした。したがって富国強兵と軍事の要素が大きくなり、昭和に入るや軍事国家化す

2020年3月21日

るが、これは近代日本の後発資本主義性のためといえるだろう。

2020年3月21日

先発資本主義は、後発資本主義と対抗するため、後発資本主義に支配された国や地域、人々を味方にしようとし、両者は、後発資本主義への対抗の連合戦線を形成する。つまり、後発資本主義に支配された国や地域、人々は、抵抗者になると同時に先発資本主義の世界支配の手先にもなっているといえる。

2020年3月21日

新型ウイルスで株価が暴落している。株をやっている人には千載一遇の大儲けの機会かもしれない。一段落がつけば株価は復帰するだろうからだ。しかし、いつ復帰するのか。それまで持ちこたえられるのか。もう一つの選択肢は、株など買わずに現金を持っておくことだが、金がなければどうでもいい（笑）。

2020年3月21日

佐野学や鍋山貞親が錦旗社会主義に向かったのだとすれば、彼らは、旗を赤旗から錦旗に変えただけで、社会主義の路線は堅持しているといえる。そうであれば、社会主義については転向もしていなければ反動化でもないといえなくもない。赤旗の共産主義からの離脱は党派を変えただけともいえる反論に勝てるのか。

2020年3月21日

吉本隆明は、中野重治の『村の家』に、転向に対する闘争の新たな姿勢を読み込んでいるが、本当にそれは、転向に対する闘争の姿勢になるのか。そもそも吉本の転向論は、吉本自身の転向の自己合理化なのではないのか。

夢の中で夜に道に迷ったり、人に逢えないなど困っている時、大抵、携帯の電源が切れていたりする。また、探してたどり着いた電車の駅は、駅名が分らず、人の姿は数多く見かける場合でも、切符売り場や改札口がなかなか分からなかったりする。

２０２０年３月21日

■本質的に資本主義は退屈である

資本主義に必要なことに、話題の提供がある。資本主義は、常に話題を生産しなければ生きていけない。それは本質的に資本主義は退屈であり、そして人間の自己意識は退屈に耐えられないからだ。格好の話題の提供素材が政治と芸能であり、そこには共通の論理がある。

２０２０年３月21日

思想書を読む場合、時間と空間が意外と重要だ。つまり文章を読むスピードと、著書との物理的な距離だ。読むスピードが早ければ、字面だけしか読めなくなったりし、また距離が離れると文章に没頭出来なくなったりするからだ。しかし、いくら適切なスピードと距離で読んでいても、眠気だけは仕方がない。

２０１７年３月18日

思想とは、みんなが納得し、同意し、共感し、支持することを内容としたら終わりだ。それは思想ではなく単なる政策の提案にすぎない。思想には人々の現在からすれば、反感や疑問を抱かせる内容が不可欠だ。なぜなら思想は現在の延長にあるものではなく、現在をより良くしようとするものでもないからだ。

２０１７年３月19日

２０１７年３月17日

F・ジェイムソン『21世紀に、資本論をいかに読むべきか?』、M・アンリ『マルクス』、J・デリダ『マルクスの亡霊たち』その他の非ドイツ系のマルクス論を読みながら、マルクスの思想は何を求めたのかを考える。共産主義というのなら、共産主義とは本質的に何かということだ。

２０２０年3月22日

ハイデガーの『存在と時間』は、周知のように、存在するものが存在するところの、その存在を問うものだが、なぜ、ハイデガーは、そのような存在の問いを問うたのかということについて、これまでほとんど問われていない。なぜ、存在の問いなのか。

２０２０年3月22日

中国の問題は、帝国になれば解決することが少なくないが、帝国化すると国が解体する恐れがあるため、帝国ではなく、ある意味で帝国とは対照的な帝国主義的な国是となっている。しかし、このままでは中国は、共産党独裁の帝国主義を脱することは出来ない。

２０１９年3月21日

中国が香港に対して提唱した「一国二制度」は、帝国と帝国主義の中間のようなものだ。しかし、中国は、その一国二制度さえ堅持出来ず、帝国主義的併合に傾いている。そのような中国に出来る外交は札束外交ぐらいだろう。

２０１９年3月21日

問題というものは、解決された時、つまり解決される土壌が現実になった時に解決することが出来、そうでないならば、何をどのようにしても問題は解決しない。しかし、人間はそれに耐えられないため、様々な思想的テキ屋から解決の話を講演その他でしてもらったりする。

２０１９年3月21日

社会学や心理学の特徴は、思想をやらないこと、あるいは思想を回避することにある。社会学は思想を社会的要因に、心理学は心理的要因に還元し、思想をそのものとして対象化しない。しかし思想は、そのような社会や心理を超えてあるのだとすれば、社会学も心理学も前座でしかないだろう。

２０１９年３月21日

社会学や心理学が蔓延《はびこ》る要因として、思想の煩雑化がある。似たような思想が複雑に分岐して展開される場合、各々の分岐した思想の相違を理解することに対する非生産的であるとか無意味という意識が、社会学や心理学の動機となる。答えは経済と精神病だが、そのあたりが社会学や心理学の雑学たる所以か。

２０１９年３月22日

資本主義というと経済上の制度の一つとみられがちだ。だから社会主義も経済的な制度とされる。しかし、資本主義の問題は、資本主義が経済的な制度ではなく、それ以上のものである処にある。だから経済的な問題の解決では資本主義の問題は解決しないだろう。

２０１９年３月22日

戦後のオリンピックは聖火リレーをしているが、これは戦前のベルリン大会でナチスが始めたもの。戦後世界はナチスを絶対悪としたにもかかわらず、聖火リレーは続けるのか。ナチス由来でも良いものは続けるとでも言うのか。もしそうならナチスを絶対悪としてそのような理屈が通るのか（笑）。

２０２０年３月23日

マルクス主義の経済学や政治学があるのだから、同じようにアナキズムその他の○○主義のいろんな学があっても構わないと社会科学に目覚めた頃に思ったことがあったが、マルクス主義料理学ならぬ「ダダイズム料理学」（山本桜子）も面白い。（https://note.com/saqrako/n/nfaebe32cd703）

２０２０年３月23日

ちなみにマルクス主義体育学とかマルクス主義保険学のようなことを、半ば冗談半分に、１９６７年頃に言語学者三浦つとむが何かの折に言っていた。その時、バクーニン主義建築学とかブランキ主義隠遁学はどうかと思ったりもした（笑）。

２０２０年３月23日

平泉澄《きよし》というと国粋的と見られているが、昨年の暮に奈良女子大で催された吉川弘晃君らの歴史論研究会の場でも確認されたように、その扱う素材はともかく、論理構造は、かなり西洋的なところがある。

２０１９年３月24日

フランクフルト学派にしろフランスその他の思想にせよ、マルクスを重要な思想と捉える傾向の、ある種の致命的な弱点（というより欠点）は、マルクスと敵対した思想家（特にアナキズム系とされるもの）を、無視もしくは削除したところだろう。思想はこうして弾力性を失っていく。

２０１９年３月24日

マルクスが『資本論』でいう物神と、バクーニンが『鞭のドイツ帝国と社会革命』などの自由論でいう魔王（悪魔）に通底性を見ると面白い。そうするとバクーニンが、革命の資本と捉えた革命家の本質も見えてくる。

２０１９年３月23日

なぜ、法や政治ではなく軍事であり、暴力なのか。それは、権力は、いかなる権力であれ悪ではないからだ。逆にいえば、反権力は善なのではなく、権力と立場が異なるのだ。権力を悪とする立場は権力と同類であり、立場の異なる権力と反権力の関係は、法でも政治でもなく、力関係しかないだろう。

２０１７年３月24日

革命は、権力は悪だという理由で倒すのではない。権力とは、立場も観点も異なり、両立しないから権力を倒すのだ。権力を悪として批判する立場は、当人たちがどう考えていようと反革命だろう。革命は自分たちの権力も悪だということに確信的でなければならないからだ。革命は、権力を悪だと批判しない。

２０１７年３月24日

違法行為を共同でやるには、私的な信用と仁義が必要になる。それ以外には共同性を成立させるものがないからだ。もし悪の共同行為の一人が、何らかの理由で、その共同性を破り、法に協力したならば、彼は悪にも存在する信用と仁義を踏みにじったことになり、悪の世界からの救済もなくなるのではないか。

２０１７年３月24日

３月20日の京大人文研の市田良彦グループによる現代思想シンポジウムには所用で行けなかったが、たとえばマルクスの思想把握の最前線というかヘゲモニーはフランスにあるのが、戦後から昨今にかけてだが、フランス人がフランス語的思索でマルクスをやることの、思想にとっての現実は問われているのだろうか。（＊２３６頁参照）

２０２０年３月24日

総破壊のバクーニンと総合芸術のワーグナーは、１８４８年の３月革命の時、ドレスデンで共闘しており、それ以後は会っていないが、両者には近似的な思想体験がある。それは初期のヘーゲル左派やフォイエルバッハとショーペンハウアーだ。

2019年3月24日

現実の運動を伴った政治思想や社会思想の思想的な総括や考察は、運動史を媒介としたものと、解釈を考察の基軸としたものに分かれる。マルクス主義でいえば、物象化論は、運動を媒介として理論を考察したものであり、疎外論は解釈の正しさを基準に理論を考察しているといえよう。

2017年3月23日

明治時代初期に久米邦武という歴史学者がいた。岩倉具視らの欧米視察に同行し、それに関する『米欧回覧実記』を著しているが、それ以前に、どこかで久米邦武という名に記憶があると思ったが、筑後柳川の蒲池氏の家系に関する史料の蒲池家譜に久米の見聞の印があったことを思い出した。

2017年3月23日

クロポトキン主義者は無政府共産主義の立場にたつが、それは彼らによれば「アナキスト・コミュニズム」であり、「アナルコ・コミュニズム」ではない。例えば「アナルコ・ファシズム」に対しても「アナキスト・ファシズム」が考えられるが、「アナルコ・〇〇」と「アナキスト・〇〇」の違いは何か?

2020年3月25日

バクーニンが『神と国家』等で、神の対抗的否定者としてとりあげる魔王（悪魔）については、神の否定の比喩として捉えるのではなく、神の否定の存在論としてとらえるべきだ。なぜならバクーニンの神否定には、魔王（悪魔）の神学とでもいえるものがあるからだ。

2020年3月25日

まあ、しばらくは、グローバルな規模での大楠公こと楠木正成の千早赤坂戦のような籠城持久戦か。戦争中、楠公炊きという量を増やす米の炊き方があったようだが、今は、その改良版を考える時かもしれない。これは食べ過ぎに対する対策にもなるだろう。聞くと美味くはなかったらしい。

２０２０年3月26日

今回の新型ウイルスの問題は、単に病気の原因として否定的に捉えるだけではなく、思想的に捉える必要がある。つまりパンデミックを引き起こしたウイルスとは何かということだ。ウイルスの存在論とでもいえようか。

２０２０年3月26日

ニーチェは、なぜ孤絶していたのか。若くしてアカデミズムから離反し、ジャーナリズムからは相手にされなかった。それはニーチェの思想が、アカデミズムともジャーナリズムとも無縁であり、それらに批判的だったが、あえていえば、ニーチェ的党派がなかったからだろう。

２０１９年3月26日

エルンスト・ユンガーが、アカデミズムともジャーナリズムとも無縁な処で活動が出来たのは、第一次大戦からの若い復員兵たちから熱烈に支持されたからであり、前線世代と呼ばれた若い復員兵たちは、ユンガー的党派だったともいえる。

２０１９年3月26日

■戦後民主主義には二つの顔がある

戦後の民主主義には、二つのルーツがある。一つは輸入品の民主主義であり、もう一は国産の民主主義だ。右翼も左翼も保守もリベラルも知らないようだが、国産の民主主義は、中野正剛率いるファシストの東方会をアジールとして戦争期を潜った労農派左翼で、彼らが戦後の人民戦線を形成する。

つまり戦後の民主主義には丸山眞男が音頭をとった輸入品と、ファシスト東方会を震源とする国産品があるということだ。丸山は国産品があると自分の輸入品は駄目になると考え、国産の民主主義を隠蔽し、そのルーツでもある東方会を政治思想史研究から抹殺する。こうして民主主義は分からなくなったのだ。

２０１８年3月26日

久しぶりに１９６７年刊行のＤ・ゲラン『現代のアナキズム』を読む。１９７０年代の私のアナキズム論はゲランには徹底的な批判派だったが、今、読み返してみると、プルードンとバクーニンには肯定的だがクロポトキンには批判的であるのが、意外にも、私のアナキズム論と共通していた。

２０１８年3月26日

ウイルス問題は、それが現実的にもたらす病気の持つ意味をも踏まえ、思想としての、反資本主義としてのウイルスとして捉えるべきだろう。ウイルスはグローバル化により存在しなくなったとされる外部であり、リオタールのいった「大きな物語の消滅」に対する物理力を持った反論であり、反措定でもある。

２０１８年3月26日

三島由紀夫の師とされた蓮田善明は、敗戦期に任地のジョホールバルで陸軍中尉として自決しているが、その蓮田の遺著に『鴨長明』がある。一説では唐木順三の鴨長明論は蓮田からのパクリともいわれるが、蓮田は鴨長明の隠遁を、再生のための養生訓だと捉えている。今は蓮田の鴨長明論を静かに読もう。（＊２５０頁参照）

２０１８年3月26日

人間は、総じて、根拠のある事実を求めるかもしれないが、実際は、それは関係性や構造において、自分を越えたものとしてあるだけで、個別的には、推論と直感があるだけだろう。人間は常に、推論と直感のキャッチボールをしているといえる。

２０１８年3月28日

形而上的世界は、このような推論と直感の加乗から生まれるのだろう。正岡子規の古今批判に対して蓮田善明が古今的世界に見た、先験的失恋という現実は、この加乗を生み出すものだ。だからその形而上的世界は、先験的失恋という現実を超えるのだが、現実を肯定する悲哀が残る。

２０１８年3月28日

明治の日本が「脱亜・入欧」ならぬ、実は「脱亜・反欧・入独」だったことと、昭和の戦争期の日本が、国粋vs西欧ではなく、労農派的ドイツをファシズムとして持っていたことは、同じ構造であり、今、定例研究会でのテーマでいえば、保守革命とモダニズムの日本的展開となる。

２０１８年3月28日

日本浪曼派と京都学派が、その批判的展開を貫徹出来ず、当時の国策に絡めとられていったのは、国粋でも西欧（欧米）でもない労農派的ドイツを問い得なかったことによると思われる。日本浪曼派も京都学派もファシズムたり得なかった所以でもあるだろう。

２０１８年3月28日

私が20代の頃に読んだキリスト教の神学書は、カール・バルトをはじめ、ルドルフ・ブルトマン、ヴォルフハルト・パネンベルク、ユルゲン・モルトマンあたりのものだったが、最も強く自分の中に残ったのはバルトの神学だった。

２０１８年3月28日

バルトの神学は、本来はそうではないのかもしれないが、20代の私には、解決出来ない問題に直面した時、その解決出来ない問題を、解決しないまま持つための、根拠はないが作動する力を与えてくれるように思われた。

２０１８年３月28日

能動でも受動でもないものとして「中動態」という状態がいわれているが、やはり能動でも受動でもない、しかし、中動態の対極でもある「極動態」というものはないのだろうか。

２０１８年３月28日

私は真理には興味がない。真理よりも、そして必要なら真理に逆らってでも、私が守りたいと思う人やものを守りたい。地獄なんぞがあるのかどうかは知らないが、真理に逆らうことで地獄へ行くのなら、それも良し。

２０１８年３月28日

シュティルナーが『唯一者とその所有』でいうエゴイズムとは、わがままということや個人主義ということではなく、何事にもとらわれないということだ。そうだとすると、ユンガーのいうアナキストならぬアナルクを捉える参考になろう。ちなみにユンガーは若い頃にシュティルナーを読んでいる。

２０１９年３月28日

日本の旧左翼（共産党）の講座派マルクス主義が伝統的な右翼の温床になり得るとすれば、旧左翼に対して新左翼が選んだ労農派マルクス主義はファシズムの温床になり得るだろう。

２０２０年３月28日

カントの哲学とヘーゲルの哲学は何が違うのか。展開している内容も含むが、それを別にしていえば、カントの哲学は説明的であり、ヘーゲルの哲学は非説明的で概念的だということだ。そして人間にとって対象的に生きる日常はカント的だが、人間を対象とする日常そのものはヘーゲル的だ。

2020年3月29日

今日は、3月29日だが、考えてみれば、エルンスト・ユンガーの誕生日でもある。1895年の今日、ユンガーはハイデルベルクに生まれている。鉄兜の画像は、第一次大戦で、ドイツの若き特攻隊長の一人だったユンガー少尉の命を救ったユンガーの破損した鉄兜。(本書、扉)

2019年3月29日

●物理力を禁欲的に内包しない思想は憂鬱を分泌する。

2020年3月29日

◇4月　生存の塹壕戦のような時代

■第二次大戦期の既視感のあるような光景

私が言うのもおかしな話だが、新型コロナ・ウイルスに対して資本主義が打撃から生き残ろうとするなら、社会主義的な政策を行う必要があるだろう。かつてドイツのビスマルクが対社会主義的に行った社会政策の現代版のようなものだ。国境を閉鎖し、一国化した資本主義は、個々の力量が問われることになる。

2020年4月2日

今回のコロナ・ウイルスに対する、かつての日独伊枢軸の状況が興味深い、イタリアは満身創痍状態で、ドイツが軍機を療養機に改変して支援に向かい、日本は周囲を伺っている。これは第二次大戦期における既視感のあるような光景ではないか。

2020年4月2日

安倍首相の顎の出たマスクだが、反ウイルスのつもりなら、それには説得力がないことに安倍は無自覚なのか。本人が無自覚なら秘書でもスタッフでもいいから、まともな人材を揃えよと言いたい。こんな程度だと、安倍の任務は、自らが感染し、危険性を示すことしかないと言われるだろう。

2020年4月2日

イルミナティとか田布施システムなる話が陰謀論にはあるが、これらの話が、陰謀論的にもどのような致命的な欠陥を持った愚論であるか。真に本物の陰謀論をやるには深い形而上学が必要なのだが、これらの陰謀論にはそれが皆無で、噂話の寄せ集めでしかない。

2020年4月2日

エルンスト・ユンガーが、鋼鉄の嵐の最前線で、敵からの攻撃による死の恐怖に耐え、自己士気を維持するには、意識的に心身分離をすることだと言っていた。似たような経験は規模は小さいが共産党とのゲバルトで、ピッチングマシンで飛ばされてくる石塊の恐怖に耐えた時にある。これは意外と有効だ。

2020年4月2日

北一輝の『日本改造法案』の社会経済政策は、今、読むと面白い。アホな政治思想研究者は、それは戦後にほぼ実現されたと言ったが違うだろう。戦後の似たような紛《まが》い物は輸入製品だったが、北の場合は自国へゲモニー下でのことだからだ。

2020年4月2日

細菌やウイルスは病原として頻繁にニュースになり、ウイルスは今もそうだが、ウイルスと細菌の中間のリケッチアとかクラミジアはどうしているのか。クラミジアは毛虱《けじらみ》程度のものでしかないのか。

2020年4月2日

私の従兄弟が、旧帝大の某国立大の医学部でウイルスの免疫学の教授をしていたけれど、今回のコロナ・ウイルスに関して親戚の法事があれば話を聞くのだが、ここしばらく親戚の法事がない。
（6月5日、TBS系のテレビ「ひるおび！」に出ていた）

2020年4月2日

今回の件でウイルスは、人間に害を及ぼす危険なものと見られつつあるかもしれない。しかし、遺伝子はあるものの細胞がないため、生物性と無生物性の両面を持つウイルスは、無生物から生物に至る端緒を担う貴重な存在ではないか。また細胞がないため寄生しなければならない特性は意識に似ている。

2020年4月3日

私は、猫のように、半ば寝て暮らしているようなところがある。必要な睡眠時間以上でも、また、朝、昼、晩に関係なく、いつでも、何時間でも眠ることが出来る。だから外出禁止で、家に禁固状態で在宅しなければならなくなったとしても、一向に平気だ。

2020年4月3日

それにしても、論理的な西欧に比べて日本は情緒的であり、理屈ではなく気分で生きている。それは、究極的なことを考えたり想定したりせず、何の根拠もなく何とかなるだろうと漠然と思うのだが、良し悪しは別とすれば、東アジアにおいても中国や朝鮮半島と比べると日本は情緒的だ。

2020年4月3日

政治は思想とは異なり、真面目にやるだけでは駄目であり、結果をださなければならない。それは、理念の世界で現実に対峙する思想と、現実の世界で現実を相手にする政治の違いだ。ちなみに政治思想という政治とも思想とも関係する鵺《ぬえ》的な分野はウェイトは思想にある。

2020年4月3日

ユンガーは、多くの思想家がそうであるような世界を解釈する存在ではなく、未成の現実を独行する。『労働者』は、世界を解釈したものではなく、未成の現実を進軍しようとしたものだ。だから「ここでは新しい思想や新しい体系でなく、むしろ新しい現実が主題」であり、そのための「基本教練」となる。

2019年4月3日

●理論の再構築が無ければ珍獣化している右翼も左翼も死滅しよう。（＊238頁参照）

2020年4月3日

塚原史《ふみ》は、ダダイズム関連の著書を数冊書いているが、今村仁司とソレルの『暴力論』を新訳している（今までは木下半治訳）。今村はアルチュセールやベンヤミンをしていたが、晩年はユンガーにも注目。塚原にはダダイズムの文化思想史的論述ではなく、ソレルとダダイズムの原理的問題は無理だろうか。（＊240頁参照）

2020年4月3日

■我々も身体は生物にして、意識は無生物

遺伝子はあるが細胞がないため、生物にして無生物でもあるといわれるウイルスは、地球における生命体の先祖的な存在になり、我々、一人ひとりも、自身の生命体としての先祖を求めればウイルスに行きつくのではないか。

2020年4月4日

まだ、地球以外の生命体が発見されたり遭遇していない宇宙の現在において、地球やそこに生息する植物、動物、人間は、生命のいない宇宙のウイルスのようなものだろう。我々も、実は、身体は生物にして、意識は無生物なのだから。

2020年4月4日

キリスト教によれば、至る所に蔓延《はびこ》り出した悪魔が地球を支配しないように悪魔と闘おうというのは、メシアを偽装した悪魔の扇動だ。真のメシアは、悪魔が地球を支配した時にこそ、悪魔を一掃すべく現れる。つまり、悪魔が全面支配するまで待てということだが、その含蓄は良くも悪くも意味深い。

２０２０年４月５日

キリスト教がいわんとする所は、悪魔と条件闘争をするなということだ。条件闘争は改良主義にすぎず、悪魔を一掃することは出来ない。悪魔を一掃するには無条件の殲滅的闘争が必要だということだ。

２０２０年４月５日

１９７０年代だから私がまるまる20代だった頃、神田神保町に北沢書店という英語専用の洋書店があり、そこで最初に買ったのが、John Carroll: The Break-out from Crytal Palace. だった。シュティルナー、ニーチェ、ドストエフスキーの思想を取り上げたもので、あまり印象にないが久しぶりに再読してみよう。

２０２０年４月６日

北沢書店がいつ閉店したのか記憶にないが、ここでは、いずれも英語で書かれたダヌンツィオ伝、トカチョフ伝、ブランキ論、アクション・フランセーズ史、ドイツ保守革命論、イギリス・ファシスト論、ナチスのスペイン作戦構想論その他を買っている。英語圏の書店なのに買った本は英米物が少ない。

２０２０年４月６日

ドイツ語の書籍は、独仏本が多い田村書店で、メラー・ファン・デン・ブルックの『Das dritte Reich』の独語本と英訳本を買い、他にフランス語はさっぱりだったが、シャルル・モーラスの評伝とアクション・フランセーズのボロボロになっていた機関誌を何点か買ったことがある。

２０２０年４月６日

最近読んだマルクス伝はマルチェロ・ムストの『アナザー・マルクス』（堀之内出版）で、マルクスのバクーニンとの抗争にも詳しく触れているが、如何せんマルクス側からの一面的読解でしかない。数多くのマルクス伝においてバクーニンがどのように扱われているか検討してみるのも面白いかもしれない。

２０２０年４月６日

ローマン・グーリに社会革命党戦闘団のサヴィンコフを主人公にした小説があるが、タイトルが『アゼーフ』（河出書房新社）となっている。アゼーフは同戦闘団リーダーにしてツァーのスパイであり、そのアゼーフとサヴィンコフの対決が大団円だが、なぜタイトルを主人公のサヴィンコフにしなかったのだろうか。

２０２０年４月５日

高見順の『いやな感じ』は戦前のアナキストを主人公にした小説だが、考えてみれば、１９６８年闘争期の背叛社やタナトス社、さらにアナキスト革命連合（ＡＲＦ）あたりのアナキストの生態を取り上げたアナキスト小説というのも面白いかもしれない。

２０２０年４月５日

戦後から現在に至るドイツ思想の弱点は、ナチス批判との関連からヒューマニズムや民主主義を批判しえない点にある。逆にハイデガーやＣ・シュミット、ユンガーらが影響力を持続しているのも、それに関連している。現在の世代のマルクス・ガブリエルの真骨頂も、このあたりに対する視点にもあるだろう。

２０２０年４月６日

ウイルスとの関係は長期化し、一年どころではないだろう。今回の新型コロナ・ウイルスには薬が出来ても、新たな別のウイルスに転生していることが考えられる。つまり一過性の問題と見るのではなく、ウイルスとの共棲が必要な長期的な、政治経済を含む文化や生活の問題になるだろう。つまり総動員だ。

2020年4月6日

日本では唯一の生粋のファシストとされる東方会総裁の中野正剛は、権力者や富裕層を動かすには、懇願や要請ではなく、物理的な威嚇が不可欠だと述べている。要するに力づくで動かすしかないということだ。

2020年4月6日

新型コロナ・ウイルスが何であれ、その感染から身を守るのは、何も権力サイドの措置に応じるためではなく、権力と闘うには、感染から身を守る必要があるからだ。その意味では、手洗いその他の基本的行為は、生活レベルの反感染の武装行為と考えるべきだ。

2020年4月6日

政治家や官僚や知事、市長などが様々な布告を出すのは、問題が発生した時に、布告を出してあるため、問題に対する責任から免除されるからだ。布告を忘れ、責任をとらねばならなくなった場合、退官した後の勲章や、死んだ時に授与される位（従三位下《じゅさんみげ》とかいうもの）の上下に関係するからでもある。

2020年4月6日

従三位下とかいうと平安時代の貴族の位として知る人もいるだろう。そのような位が現在でもあるのかということある。戦争期だと連合艦隊司令長官の山本五十六は戦死した時、確か従四位下だったはずであり、戦後も福岡市長の進藤一馬に贈られた位を覚えている。

2020年4月6日

カントとヘーゲルの違いは、カント哲学は悟性的な説明であるのに対し、ヘーゲル哲学は理性的な概念であることだ。概念は、説明の抽象性を超え、対象の内実を捉えようとする。そこにはカント哲学の説明的な抽象性を超え、具体的な現実に至ろうとする方向があり、それはカント以後のフィヒテに始まる。

2020年4月7日

■『リリィ・マルレーン』はメロ・ドラマ

ハンナ・シグラがララ・アンデルセンに扮したファスビンダー監督の西ドイツ映画『リリィ・マルレーン』はメロ・ドラマ方式で、戦時下に国民歌手になる女性が主人公だ。ナチス時代のドイツを反戦や抵抗といったテーマでなく、そこにもあった喜怒哀楽を描こうとすればメロ・ドラマしかないのかもしれない。

2020年4月7日

レマルクの原作のアメリカ映画『愛する時と死する時』で、第二次大戦期、ロシア戦線から休暇で帰国したドイツ兵と幼馴染の女性との戦時下での恋愛と、彼が戦場に戻り、彼女からの手紙を読んでいる時、ロシアのパルチザンに射殺される結末も、悲劇というよりメロ・ドラマ方式だ。

2020年4月7日

なぜメロ・ドラマなのか。それは、ナチス時代の事に対する反省という政治的意識ではなく、淡々と現実を描こうとしても中立的であってはならないという欧米での前提から、生活感覚で、ナチス時代に対する非肯定性を描こうとすれば、最も分かりやすい方式だからだろう。

２０２０年４月７日

マリア・シェルがドイツ軍看護婦に扮したオーストリア映画『最後の橋』は、彼女がユーゴのパルチザンに捕らわれ、敵味方を超えて看護にあたるが、薬の入手のため戻ったドイツ軍陣地で彼女を探していた恋人のドイツ兵と会う。止める彼を振切り薬をパルチザンに届けようとするが橋の上で彼女に弾が当たるメロ・ドラマだ。

２０２０年４月７日

ヨアヒム・ハンセンがドイツ空軍の若き撃墜王のマルセイユ大尉を演じた西ドイツ映画『撃墜王アフリカの星』も、マリアンネ・コッホ演じる恋人の女性が戦時下の臨時教員をしている教室へ小遣いが訪れ、何かを告げられる。彼女の顔は真顔になり教壇に戻り、あどけない表情の幼い生徒たちの前で感極まり泣き崩れるラストは典型的なメロ・ドラマだ。

２０２０年４月７日

世間から「猥褻だ」とか「怖い」と否定的な評価を受けたものに対して、「猥褻ではない」とか「怖くない」と言って肯定しようとする立場があるが、それは肯定になっているのか。単に無害化しているだけではないか。そうではなく、猥褻さや怖さを肯定する立場が必要なのだ。

２０１８年４月７日

資本主義と近代は、現時点では、人間の存在の最終様式であり内容だろう。だから反資本主義も反近代も、どこまで先鋭化し、また超越的になろうとも資本主義や近代を引き摺った後日譚の様相を呈する。では、どうすれば資本主義や近代を超えられるか。意味的でなく生物的に人間が変わる必要があるだろう。

マルクスは、プルードン、シュティルナー、バクーニンと接し、彼らを批判したり論争したりしているが、マルクスは、彼らから何を学び、何を学ばなかったかは、マルクスの思想の在り方を、マルクスの思想の性格を浮かび上がらせるだろう。

２０１９年４月７日

ニーチェの思想の本質は、当事者性にある。ハイデガーがニーチェを読み損ねているのはそこだろう。ハイデガーはニーチェを第三者化してしまっている。まだ予兆だったニーチェの当事者性を現実として体験したのがユンガーになる。ユンガーからすればハイデガーもC・シュミットもナチスも市民なのだ。

２０１９年４月７日

当事者とは、何かをしてしまった存在だ。当事者にとっては、してしまったことに対してどのように臨むべきかが問われる。それに対して第三者は、誰かが何かをしたことを話に聞いた存在といえる。第三者はそこにどのような問題があるのかを考え、問う。前者が兵士型の思想なら後者は市民型の思想になる。

２０１７年４月７日

兵士とは軍服を着た市民のことではない。兵士とは、市民の向こうにいる存在、市民の彼岸にいる存在だ。だから兵士は本質的に市民の世界に復員することは出来ない。復員が出来たなら兵士ではないだろう。ニーチェの狂気とはそのことであり、ユンガーが森を行くのもそのことだ。

２０１７年４月７日

本質的にハイデガーのニーチェ読解は間違っている。それはハイデガーのユンガー読解が間違っているのと同様だ。おそらくハイデガーのニーチェ論とは、ユンガー論のためのニーチェに舞台を借りた予備作業にすぎず、そしてハイデガーの誤りは、ニーチェのいう「神の死」の当事者性への無理解にある。

２０１７年４月７日

この当事者性こそ、ユンガーの思想の、たとえば『労働者』の難解さの在所だろう。読者はそれを当事者性ではなく第三者性として読んでしまうため、書かれてある「もの」はそれなりに分かるが、書かれてある「こと」は分からないのだ。これに比べればハイデガーの『存在と時間』は分かりやすい。

２０１７年４月７日

「生き方」ではなく「組織運動」だった私のアナキズムは、当事者性に拠るものであり、だから革命兵士のアナキズムとなるが、それに対する昨今のアナキズムは第三者性に拠り、耳学問の域を出ないものといえよう。この類のものがアナキズムとして出回るのはアナキズムの歪曲であり矮小化だろう。

２０１７年４月７日

北極には白熊はいるが、ペンギンはいない。ペンギンがいるのは南極だ。しかし、世界で唯一、ペンギンがいる北極がある。大阪のアイスキャンデー屋の「北極」だ。北極だから白熊もおり、白熊とペンギンがいる不思議な処だ。近年は、５５１の蓬莱に負けているが以前はアイスキャンデーは北極だった。

２０１７年４月８日

カール・シュミットは『政治的ロマン主義』（未来社）においてロマン主義を機会偶因論として

批判し、それを適用して日本浪曼派批判を書いた橋川文三をはじめ、シュミットのロマン主義批判を受容してきた感があるが、それでいいのか。ロマン主義には先験的にシュミット的な批判に対する批判性があるのではないか。

2017年4月8日

現実において重要なことは、同じ立場になったり一致したりすることではなく、対立が存在することだ。対立する構造のない現実、統一され一致した現実ほど碌なものは無いのではないか。とりわけ政治は、対立的な立場の存在をむしろ喜ぶべきことだろう。なぜならそれにより現実が可能となるからだ。

2017年4月8日

小池東京都知事は、緊急事態宣言の対象となった都府県の知事の通信による会議で、東京は他と比べて感染者の数が一桁も二桁も違うので……とか言い、東京の特別性を口外したが、何を上から目線になっているのか（笑）。このあたりが小池の政治家としての限界だろう。私にはどうでもいいことだが。

2020年4月8日

カントは、物自体と現象を区別し、物自体を不可知とした。そのため多くの思想は現象を対象とし、物自体への問いをもったものはほんの僅かだった。現象での問いに留まる思想は思想界に多いが、どれほど本質的な装いをしていようと、所詮は思想の政策論議に終わるのではないか。

2019年4月9日

人間は、所詮は、信じることと疑うことしか出来ないのであり、それを越えた真理などは気休めの虚構だろう。生きているのは、何かを、たとえ最小限度でも信じているからであり、疑いが極限化すると死に向かったりする。しかし、そのような生や死は、どう転んでも信や疑を越えた状態とは対自的には別だ。

２０１９年４月９日

何事も、中庸だとか、ほどほどとか、極端でない立場は、差別的になるのではないか。なぜなら、上下、左右に対して差異化しなければ自己認定が不可能になり、そして差異化が対他化されると差別化する。逆にいえば、極端な立場の方が非差別的で普遍化に近いといえるかもしれない。

２０１９年４月９日

新型コロナ・ウイルスへの対応を見ていると、戦力の小出しと兵站軽視という日本的伝統は健在だ（笑）。

２０２０年４月10日

今回のウイルス問題は対策を講じ、薬を開発すれば何とかなるような一過性の病気問題ではないだろう。これは、グローバル化したネオリベ的な社会の在り方に対するウイルスの病気という現象をした批判であり、社会の在り方の改変を求めるもので、一過性のものとして解決しても第二派、第三派が来よう。

２０２０年４月10日

アナキストは、いかなる意味でも個人主義者ではない。なぜならアナキストは、是々非々的な存在ではないからだ。アナキストが、いかに個人性を強調しようとも、それは個人主義ではなく、一人で党派を担っているということだ。例えば個人主義の権化とされるシュティルナーも唯一者の党派的存在といえる。

２０１８年４月９日

アナキズムの自由が資本主義の自由と異なるのも、そして対立的であるのも、それゆえだ。資本主義の自由は個々的であるのに対して、アナキズムの自由は党派的な個なのだ。そしてその党派性とは資本主義の外、資本主義的な自由の外ということでもある。バクーニンが自由の全体性と言ったのもこのことだ。

２０１８年4月9日

個人は、資本主義にも国家にも対抗出来ない。資本主義や国家の中で反主流派になれるだけだ。資本主義や国家と対抗するには、一人でも個人ではなく党派あるいは部隊として個を超えた現実性を内包しなければならない。

２０１８年4月9日

進歩を信じる者は革命を肯定出来ないだろう。なぜなら革命とは進歩の否定であり、進歩を超えることだからだ。そして革命が反動と対極的な相似性を持つとすれば、その進歩の否定においてだ。

２０１８年4月9日

たとえば、断続的だが総計すると36年半もの間、牢獄にいたブランキは進歩を信じておらず、総破壊の使徒バクーニンは、ウルトラモンタンのド・メーストルの対極的近似性がいわれる。

２０１８年4月9日

マルクスも進歩を信じておらず、彼によれば、進歩を前提とする社会主義の正体は、修正資本主義にすぎない。

２０１８年4月9日

マルクス・ガブリエルによれば、現代の思想の最前線は、実はヘーゲルとのことだが、これは重要だと思う。というのも、現代思想は長らくカント的な世界の延長にあったからだ。フランスの現代思想におけるヘゲモニーもこれに関係する。問題は、いかに観念論ではないヘーゲルを析出するかだが。

２０１８年４月10日

カント的世界からすれば、ヘーゲルの哲学は、合理主義的に展開されているが、オカルトの一種のようなものだろう。他方、ヘーゲルからすれば、カントの哲学は、世俗知の延長にすぎない。

２０１８年４月10日

ファシズムとスターリニズムの違いは、ファシズムは小ブル的中産階級のスターリニズムであり、スターリニズムはプロレタリアのファシズムだといえる。つまり資本主義における執行権の強圧化や独裁化とファシズムは異なるということだ。そのようなことはファシズムと関係なく可能なのだ。

２０２０年４月10日

資本主義との関係でいえば、ファシズムは後発資本主義だから小ブル的中産階級的で、スターリニズムは前資本主義だからプロレタリアート的となる。重要なことは、資本主義の発展度に関係なく工業化の志向があることだ。工業化の志向がなければ、いくら独裁的であろうとファシズムとは別物だろう。

２０２０年４月10日

１９６８年闘争を担ったともされる全共闘については、今も一方の過大評価と他方の過小評価があるばかりだ。全共闘には二つの側面が、革命と反革命の面があるが、後者は見落とされている。革命的な面は党派主義を否定したことだが、反革命的な面は党派を否定し、革命の組織化の基盤を解体したことだろう。

２０２０年４月11日

1968年闘争は、アメリカやヨーロッパなど世界的なものだったが、運動後の〝戦後的内戦〟において内ゲバを行ったのは日本だけだ。なぜ、日本の革命党派だけが内ゲバをすることになったのか。これはいってよければ新左翼も含め、日本の左翼の宿痾でもある。それは党派性を超えた理念的な現実の不在にある。

2020年4月11日

欧米の左翼には左翼思想の根底に、それに対して否定的であろうとキリスト教という超越的なものがある。バクーニンやニーチェのような反キリスト者においてさえ、その反キリスト性において、その内在的な影響を受けている。その超越性の次元が党派主義を規制するのだが、日本の左翼にはこれがない。

2020年4月11日

■天皇制を否定するには天皇制を媒介にするしかない

三島由紀夫と東大全共闘の討論という凡庸な内容の映画があるが、東大全共闘に左翼性を代表させれば、日本の左翼は、かつての講座派や労農派とは異なる視点から天皇制を問う必要があり、三島の意図とは別に、全共闘を代表とした左翼と天皇の問題もそこにある。そこに日本の超越性の問題があるからだ。

2020年4月11日

日本の左翼は新左翼も含めて見落としているが、天皇制を否定するには天皇制を媒介にするしかないことだ。戦前の左翼は、コミンテルンに超越性を求めたため、天皇制を君主制として批判出来たが、その超越性が崩壊した後、超越性不在の革命党派は自己絶対の党派主義を胚胎し、それがスターリニズムとなる。

今の世の中は、何かにつけ生存の塹壕戦のような時代だ。そのためには、精神のモチベーションを堅持しつつ、無職だろうが何だろうが、惰性だろうが無為だろうが、何はともあれ生きてゆく寝技が必要だろう。実は、そのような寝技こそ思想であり、思想の存在であったりする。

2020年4月11日

ひさしぶりに豊田尭『バブーフとその時代』（創文社）、柴田三千雄『バブーフの陰謀』（岩波書店）、平岡昇『平等に憑かれた人々』（岩波新書）、タルモン『フランス革命と左翼全体主義の源流』（鳳書房）等、バブーフ関連の著書を読む。バブーフの仲間だったブォナローティによるバブーフの革命についての古典的文献も近々、訳出されるようだ。

2019年4月11日

バブーフはブランキの先行者とされ、また地下公安秘密総裁府による革命独裁を主張したことからクロポトキン主義者によるアナキズムの思想や運動史では、アナキストとは対極的な権力主義派とされているが、当時の権力はバブーフをアナキストと批判している。この認識の差異は重要だ。

2020年4月12日

バブーフ→ブランキ→ヴァイトリング→バクーニンという系譜があるが、そうすると、同じようにアナキストとされてはいるが、バクーニンとクロポトキンは、対極的であり、思想的には不倶戴天の敵同士ということにもなる。

2020年4月12日

革命家という存在は革命のためなら、どんなことでもやる策略家だ。革命の為なら矛盾など、どこ吹く風のような面持ちだ。例えば、同じ物事でも批判が有効なら批判し、擁護が有効なら擁護す

2020年4月12日

る。安倍に対しても、自粛の反対として外出を扇動するかと思えば、逆に安倍にもっと現実を解体させようとする。

2020年4月12日

1968年闘争期の精神的風景として思い出すのは、「兵隊」という言葉が頻繁に用いられたことだ。人間解放とか反戦とか言いながら、どの組織でも「兵隊を集めろ」「兵隊は集まったか」とかいうように数的要員を兵隊という言葉で表していた。組織活動をする時は、隊長や班長を決めて部隊編成がされた。

2020年4月12日

日本人は季節ごとに部屋から衣服その他の衣替えをする。服はともかく、この家具類の衣替えというのは面倒くさい。日本人は冷房機と暖房機を逐一入れ替えるが、フランス人は並べておくらしい。もしそうであれば、私は性格的にフランス人の方が合っている。

2018年4月12日

様々な分野での制度や人間の劣化がいわれる。しかし、なぜ、近年に劣化が指摘されるほどはっきりしてきたのか。単に劣化を指摘するだけでは、単なる評論にすぎない。劣化には劣化の原因があるからだ

2018年4月12日

現実的なことをいう立場はつまらない。なぜか、現実がつまらないからだ。では、なぜ現実はつまらないのか。現実が資本主義だからだ。資本主義のつまらなさは、なにもかもを交換価値化して同じものにしてしまう。簡単にいえば、株のつまらなさがそれをよく表している。

2020年4月13日

ヒューマニズムがなぜ思想的に駄目なのか。それはヒューマニズムが説明的なものだからだ。説明的なものは、現実を説明するが現実の把握にはなり得ない。その意味でヒューマニズムは思想的にヒューマンたり得ないのだ。つまり説明的でしかないものは、何であれカント以後においては思想たり得ない。

２０２０年４月13日

カント以降の思想は、カントが不可知だとして放置した物自体の把握をテーマとする。カントの思想とは、なぜ物自体は不可知なのかということの説明に尽きる。そしてカント以降の思想は、物自体の把握こそが、現実を捉えることだという立場に至った。ヘーゲルがいう概念とはそのことであり説明の止揚だ。

２０２０年４月13日

ヘーゲルにおける説明の止揚としての概念の問題を、マルクスは認識過程と叙述過程の区別とする。認識過程が説明に該当し、叙述過程が概念に該当する。ハイデガーでは、認識過程としての説明が現象学であり、叙述過程としての概念が存在論に該当することになるだろう。

２０２０年４月13日

左翼の革命派の中で、左翼自身が持つ権力主義による腐敗にも敏感で、それを問うたのはアナキズムだ。マルクスは権力を批判したが、自身の権力主義性には鈍感であり、バクーニンはそれを見抜き『共産党宣言』に孕まれている権力主義を批判した。左翼革命派は権力批判は良いが自身の権力性の自覚も必要。

２０２０年４月14日

注意すべきことは、バクーニンはマルクスのプロ独論の権力主義を批判したが、革命独裁そのものを批判したのではなく独自の革命独裁論を持っていた。既存のアナキズムはそれを隠蔽し、アナキズムの研究家でもあった勝田吉太郎はそこにバクーニンの矛盾を見て批判するが、どちらも間違っておりバクーニンの矛盾に可能性の萌芽を見るべきだ。

2020年4月14日

マルクス論やマルクス伝は数多いが、マルクスのプロレタリア独裁論に対するバクーニンの批判を、マルクス側からしか読まなかったり無視するような研究や考察、思想は、どれほど他の面でマルクスについての新たな面を開いていようとも、革命論に関してはまったく駄目だと断言出来る。

2020年4月14日

アダム・スミスの『国富論』でも読めば、資本主義の根強さと社会主義のひ弱さが分る。資本主義の強さは、まさにアダム・スミスがいうごとく「神の手」というものの中にある。要するに資本主義は放置しても何とかなるが、社会主義は人為的である。何事も成行き任せで済む方が強い。

2020年4月15日

それがどのような立場であれ、過去の反芻だけでは何の意味もない。むろん現在の風に靡かせることではない。その立場が持っていた思想や表現の本来の力を原理的に確認し、それを現代でも通用するよう問うことだ。するとその分の「逸脱」が生じる。しかし、この「逸脱」こそが、その立場を思想にする。

2017年4月16日

例えば、東京でのダダ101周年記念展に批判的に介入した山本桜子のダダイズムの特徴は、過去のダダイズムの敷衍ではなく、むしろ「逸脱」性にある。それは過去のダダでは考えられないダダとファシズムの結合にある。おそらく古典的なダダからすれば破門扱いだろうが、それこそが真にダダ的だろう。

ベンヤミンはファシズムを「政治の美学化」として批判したが、逆に美学の側からすれば、美学はそのような政治としてしか存在しえないことを知るべきだ。そのようなものではない美学、自立したと称する美学などは商品の包装紙のデザイン的図柄以上のものにはなりえまい。

２０１７年４月16日

２０１７年４月16日

■安倍首相好みの「大胆な」ファシスト的な対応を

安倍首相をファシストだと批判する声が左派や左翼にはあるようだ。私は良くも悪くも安倍をファシストとは思わないし、本人はどう思っているにせよ、ファシストと批判されるならコロナについても対策のつまらない小出しではなく、無理だろうが安倍好みの言葉でいえば「大胆な」ファシスト的な対応をすればいい。

２０２０年４月16日

ファシスト的な対応とは、資本主義の下での政策的な国民社会主義のようなものだ。むしろこれこそ北一輝の影響も受けたとされる母方の祖父の岸信介の本来の路線に繋がるのではないか。

２０２０年４月16日

同調圧力には、惰性という内在的対応がある。同調圧力の強さの一端はここにある。これに比べれば同調圧力の意識的強化など皮相なものだ。では、同調圧力への対抗は、意識的ではなく惰性によって、言葉を変えれば、成行きによっては不可能なのか。

２０２０年４月16日

森鷗外が影響を受けた当時の西欧の最先端哲学者の一人にエドゥアルト・フォン・ハルトマンが

いるが、ニーチェが彼を大馬鹿にしたためか、哲学史では半ば忘却された存在だ。彼の無意識者の哲学は、ショーペンハウアーの無方向な意志と表象の哲学に方向性を与えようとしたものでもあるが、意外と面白い。

２０２０年４月16日

長らく忘れられ、哲学史においてもその名のなかったＥ・Ｖ・ハルトマンだが、近年は、世紀末の象徴主義に対応する哲学として、ごく一部ではあるが、その再評価が現れている。私はそれとは別に、ショーペンハウアーの意志と表象を無意識者として統括し、それに無底的意志の内在を見る立場が興味深い。

２０２０年４月16日

Ｅ・Ｖ・ハルトマンは、忘れられていたシュティルナーの唯一者の思想の先駆的な評価をしたことはシュティルナー研究の世界では知られている。ところが、そのハルトマンの著作は、彼の代表作ともいえる『無意識の哲学』をはじめ全て邦訳がない。

２０２０年４月16日

かつてエルンスト・ブロッホは、異なる時代の共存を、非同時的同時性と言ったが、昨今の思想状況は、このブロッホの言葉が相応しい。つまり、全く別の時代の時代体験が異なり、存在そのものからして全く別の、共通性が皆無の思想が、同じ場所で並んで共存している。

２０２０年４月16日

新型コロナ・ウイルスは、グローバル化した資本主義に対する批判だな。ネオリベで、経済化が加速化し、経済そのものを経営化した資本主義に対する批判であり、経済を基軸とした現実の在り方に対する変革が求められる。

２０２０年４月17日

今回の新型コロナ・ウイルスを終息させ、一応、今回の感染は解決したとしても、単発的なものではなく、変異した第二波、第三波のウイルスが到来するだろう。

２０２０年４月17日

D・H・ロレンスの『黙示録』の福田恆存訳の邦題は『現代人は愛しうるか』（中公文庫）だが、それに擬えていえば、現代人は死にうるだろうか。人間が死ぬことが出来たのは、天国にせよ地獄にせよ、あの世があったからだ。しかし、宗教の賞味期限が過ぎ、あの世がなくなったならば、人間の死は変わるだろう。

２０２０年４月17日

確かに人間は、これまでと同じように死ぬだろう。しかし、死の内容が異なり、これまでの死のように死ぬことは出来ず、そればかりか、生ではなくなることが死ぬことと結びつかず、生は失われるが、死は存在しないという意味で、従来のような死ぬことではなくなる。

２０１８年４月17日

つまり、死の意味づけが出来なくなることでもある。要するに、死とは何であり、どういうことか分からなくなることでもある。死は、ただ生ではなくなること、生の消滅となり、死としての内実を持たなくなる。あの世という死の行き場がなくなるからだ。ということは、生が分からなくなることでもある。

２０１８年４月17日

G・リヒトハイム『ヨーロッパ文明』によれば、D・H・ロレンスとユンガーは、「原始的本能の支配と冒険の追求」等で共通するものがあるとのこと。ロレンスが『チャタレイ夫人の恋人』でエロスの問題を、ユンガーが『鋼鉄の嵐の中で』で戦闘と死の問題を取り上げているとすれば一幅性があるともいえる。

2018年4月17日

自由と全体主義は対立的だと理解されているが、自由による全体主義は可能だ。しかも比喩ではなく現実として。万物を交換可能な商品とする民営化は、自由な交換を内実とする商品を存在のベースとする自由による全体主義だといえる。

2020年4月19日

その民営化に基づく自由の全体主義に、今、ウイルスが攻撃を加えている。ウイルスの商品化つまりウイルスの民営化がウイルス対策になるが、ウイルスは新たな商品の外部へと転移していく。

2020年4月19日

今日も日が暮れた。湿気がなく爽やかな日だったが、何をするでもなく、空気に沈黙の音を聴いている間に、一日が暮れてしまった。時間が経つのが早い。もし、時間の経過を遅くしようとするならば、早く時間が経てと思うような嫌なことを持てばいいのだろうが、それもなぁ。

2018年4月19日

■1968年闘争の思想とその後の断絶

これまで人類を解放し、現実を変革し、人間を幸せにするような革命はなかった。そして、これからもそうかもしれない。その理由は革命そのものの人為性によるともいえよう。悲劇と不幸しかもたらさない革命だが、しかし、それでも革命は肯定されなければならない。革命思想は、その肯定の思想化に尽きる。

2018年4月19日

私の１９６８年闘争期のアナキズムは、単なるアナーキー主義でもなく、それらを乗り越えるアナ「キズム」だった。私の場合、そのイズムすなわちアナ「キズム」はバクーニン主義であり、バクーニン原理主義だった。だから単なるアナーキーではなく、アナーキーにして組織的でもあったのだ。

２０１８年４月19日

１９６８年闘争期の街頭デモは、今のように音楽を鳴らして歩くのではなく、どれほど長い距離をデモしようとも基本はスクラム・デモだった。確かに疲れるが、隊列に一体感があった。統一集会の会場から街頭へ出ると、すぐ両脇に武装した機動隊が張り付いてくる。

２０１８年４月19日

デモの隊列の中から見る周囲の光景は、やはり普段、普通に歩いて見ているものとは違った。視界に入る街頭の中にいるというより、その外にいるという感じだった。外からデモの隊列を組み、そこへ侵入しているという案配だった。だから、こちらを迷惑そうに見る人の視線に対し、加虐的な笑みが零れた。

２０１８年４月19日

デモのシュプレヒコールは、「安保粉砕、闘争勝利」が基本だったが、１９７０年になると、年長世代はそのままだったが、年少世代は、闘争が戦争に変わり、「安保粉砕、戦争勝利」となった。この変化は、年長世代やその影響を受けた後の世代からは見落とされ、忘れられているが、最も重要なものだろう。

２０１８年４月19日

これは、同じような格好で、一緒に活動しているが、年長世代にとって運動が、反戦的で政治志向的、状況的だったのに対して、年少世代にとっては、革命戦争的で軍事志向的、原理的だったこと、あるいはその端緒だった違いを示している。

２０１８年４月19日

日本の現代の思想の特異性、欧米その他の現代の思想と異なる特異性とは何か。それは、１９７０年代における断絶にある。つまり日本においては、１９６０年代と１９８０年代以降が断絶しており、欧米のような連続性がないのだ。欧米の先端思想が輸入され、それに基づく展開が日本で行われても空しいのはそれゆえだ。

２０２０年４月20日

これは、一見、世代の問題のようでもある。つまり１９６８年闘争の世代と１９８０年以降のポスト闘争の世代との違いのように。しかし、このような違いを作り出しているのは、時代が断絶している日本だけだともいえる。とすれば、この断絶を解く必要がある。日本における思想の前線はそこにしかないだろう。

２０２０年４月20日

ところが１９８０年以降の思想は、これに無関心であり、断絶に無自覚なまま現在を問うている。それは比喩的にいえば、戦争を看過したまま戦後を問題にしているに等しい。逆に１９７０年代まで至った１９６８年闘争の思想は、なぜ後続的展開が出来なかったのかという問題から逃げているといえよう。無関心と逃亡だ。

２０２０年４月20日

歴史は、完全黙秘した現実を解き明かすことは出来ないだろう。年月が経てば、解き明かせない過去があるということになるだけだ。その意味で、単に現在だけでなく、時間が経過した時点にお

いても歴史が解く現実とは、歴史の自白調書に基づくもの以上ではなく、完全黙秘を突破することは出来ない

２０２０年４月20日

資本主義の終焉の考察を見かけることが多くなった。かつては資本主義の終焉は黙示録的な色合いが強かったが、最近は学問的考察の対象にもなっている。しかし社会がどのような状態になれば資本主義は終焉したといえるのか。かつては私有制の廃止等がいわれたが、そんなものは終焉の指標になるまい。

２０２０年４月21日

資本主義とは簡単にいえば、万物の商品化による交換社会だが、では、資本主義が終焉した社会では、商品化による交換はなくなるのか。つまり、商品、貨幣、交換は消滅するのか。某批評家によれば高次の互酬制らしいが、高次とは何か（笑）。商品も貨幣も交換も資本主義以前からある。

２０２０年４月21日

資本主義の終焉をテーマとしたのが共産主義で特にマルクス派とすれば、国家の終焉をテーマとしたのがアナキズムだが、では国家の終焉とはどのような状態なのか。国家に変わる管理的な小共同体という立場がクロポトキン派などに多いが、そんなものが国家の終焉になるのか。

２０２０年４月21日

外出禁止に対する反対のデモや集会がアメリカで行われ、日本でも外出自粛に対し外へ出ようという声がある。伝染病が結果的に地球の人口調整機構の一つだったとするなら、死ぬかもしれないが以前のように外出し、集う生活こそすべきことだろう。だが外部注入者であるレーニン的革命家はそこにはいない。

今、世界は新型コロナ・ウイルスで大騒ぎであり、それにより経済が混乱をきたし、いろんなものが潰れ、消滅の危機に瀕している。しかし、考えればそれが通常なのではないか。今日、伝わっていたり残ったりしている過去の事物は、たまたま残ったにすぎず、保存意識による結果ではないからだ。

2020年4月21日

いろんなものが壊れていく。制度であったり事物から人間の価値判断まで。これが破壊というものだろう。そしてこのような破壊により、人間の文明観が変わり、あたかも中世から近代へ至ったように、近代の終末としての現実が終わっていくのだ。人が死に、物が壊れ、制度が崩れ、価値が崩壊する。当然だ。

2020年4月22日

今回のような事態に直面した時、日々の生活の価値意識と歴史の意識とのズレというか差異が直感出来る。日々の生活にとって歴史は不幸の産物であり、歴史は、人々の日々の不幸を食って展開していくものでもある。

2020年4月22日

ユンガーの作品において主要なものは小説ではなく日記だ。さらにいえば、彼の小説、例えば近刊の『エウメスヴィル』（月曜社）も少し前の『ガラスの蜂』（田畑書店）も、日記のような体裁だ。ところで彼の日記は多くの作家が残している日記と趣が異なる。私的記述ではなく作品としての日記なのだ。それは物語の否定でもある。

2020年4月22日

ユンガーにおける日記は、例えば、トーマス・マンの『ファウスト博士』のような物語的な小説の否定といえよう。そこには、死の総動員としての第一次大戦に対するユンガーとマンの対応の違いがある。マンは市民として生きており物語が紡げたが、死の戦場にいたユンガーには日々の記述しかなかった。

２０２０年４月22日

三浦瑠麗によれば、今回のコロナ問題の危機が終われば、問題はあるものの、基本的には元のグローバル経済に戻るらしい。今回のコロナ問題が単発ならともかく、ウイルスが転移し非単発化すればどうなのか。つまり半年や一年の問題ではなくなり、数十年という問題になった場合だ。

２０２０年４月22日

三浦瑠麗の主張も分からないことはない。政策を基本とする昨今の政治学においては、このような見立てになり、またそれが政治学の役割でもあるからだ。しかし、政策の実態は、政治における福祉のようなものであり、歴史がない。そして歴史は福祉の対極にある。

２０２０年４月22日

人間は孤独に耐えられないというが、そうではあるまい。耐えられないのではなく、孤独だったなら自分が存在しなくなるのだ。存在には、他者による承認が不可欠で、人が別れの際に「忘れない」と言うのもそれに関連する。ところで、他者と出会えれば解決される孤独だが、人類には他者がいない。

２０１７年４月21日

■グローバル化とは人類のメンヘラ化

グローバル化とは、ある意味で人類のメンヘラ化でもある。前にも言ったが、戦争の内戦化は、戦争の構造的なメンヘラ化であり、現代の思想はメンヘラの解析となる。人類は、異星人という他者と出会うか、不在の外部を隠れた神のごとく創出する以外に、この事態を突破することは出来ないだろう。

2017年4月21日

人類がメンヘラ状態にあるということは、選択肢がないことでもある。何をやっても、行き着くのはメンヘラ状態だからだ。そのメンヘラ状態を社会科学的に換言すれば商品化状態となる。これは総体として、それを否定する以外にない。商品の選択や選別ではないということは政治でも経済でもない。

2017年4月21日

重病ならそれどころではないが、風邪などの軽い病気で熱が出た場合、デカルトの心身二元論を思い出す。意識と身体は分離しており、身体は、意識から独立し、身体にとっては良かったり悪かったりする無数の菌の生息の場であり、意識は、そこに間借りしているだけのように思える。

2017年4月21日

意識は、人によって身体の老化による衰えの影響を受ける場合がある（記憶や忘却など）。しかし、身体は老化しても意識ははっきりしている場合がある。身体は自然的だが、意識は反自然性を持つ。その時、意識に身体が付いてこないということで、再びデカルト的な二元論の境地になる。

2017年4月21日

オーストリアの作家のヘルマン・ブロッホに『罪なき人々』という作品があるが、要するに罪の自覚のない最悪の人々ということだが、それに擬《なぞら》えればマルクスは、まさに「罪なき人」になるだろうか。

今回のコロナ・ウイルス問題を歴史的に捉えれば、この現実をどのようにしたいのか、ただ保守したいのか、保守しつつ改良したいのか、保守を越えて改革したいのか、改革を越えて革命をしたいのか、等々の立場の違いにより分析や対応は違ったものになり、正しい答えはない。

２０１７年４月21日

確かに人間は多様だ。精神的にも身体的にも。しかし、それにより、現実が、ある状態になった場合、生き残る者と生き残れない者がいることも、それなりによく分る。人間は多様だが、その意味では平等ではなく、至って不平等でもある。

２０２０年４月22日

政治は、何事であれ問題が起きた時には何かをやらなければならない。しかし、何をやれば適格であるのかは分からない。そこで、出来ることから随意何かを選択し、あえていえば適当にやることになる。しかし、随意で適当だから的外れかもしれない。そこで別の随意で適当な立場からの批判が起こる。

２０２０年４月22日

かつてのペストも終焉したように今回のコロナも、どれほど感染がグローバルに拡大しようと、とりあえずは終わる。問題なのは、その時までの、精神や体力の維持を含む生活の確保という時間潰し（誤解を恐れずにいえば暇潰し）にある。家でじっとしていることは多くの人間には退屈この上ないからだ。

２０２０年４月23日

私は、退屈大好き人間だが、ショーペンハウアーの退屈論によれば、退屈は生きている人間には

２０２０年４月23日

最大の地獄とのことだ。

2020年4月23日

三浦瑠麗は、大抵はまことしやかな団子理屈による安倍政権の擁護派としてリベラル左派から批判されるが、中国共産党の追随派という批判もあるようだ（笑）。いろんな愚説があるが、三浦瑠麗はアメリカの手先だという批判が以前にあったが、まだイルミナティだという批判はないようだ（爆）。

2020年4月23日

こういう時だから、ヘルマン・ブロッホの『ヴェルギリウスの死』（集英社）や『夢遊の人々』（ちくま文庫）から『ホフマンスタールとその時代』（筑摩書房）『崩壊時代の文学』（河出書房新社）等を久しぶりに読んでみよう。それが終われば、やはり久しぶりに『ホフマンスタール選集』（河出書房新社）に手を伸ばしてみよう。

2020年4月24日

第一次大戦直後のバルト三国地方での内戦を背景に、三人の男女の織りなす劇を描いたユルスナールの『とどめの一撃』（岩波文庫）は硬質の抽象的な文体による小説だ。これをシュレンドルフが映画化しているが、ユルスナールの文体とシュレンドルフの映像を比較すると文学と映画が描く構造の違いが端的に分かる。

2020年4月25日

近代の超克とポストモダンはしばしば混同されるが、「超克」と「ポスト」が異なるように別だが、いずれにせよ近代の次への志向や状態を指しているとすれば、今回のコロナ・ウイルス問題は何波も押し寄せることにより長期化し、まだその延長にあるデカルト以来の近代そのものを終わらせるだろう。

今回のものだけなら終息すれば、多少の変化はあるものの経済も政治も文化も元に戻るだろう。しかし、第二、第三、第四等々と転移したウイルス問題が続くとなれば、今のような経済は崩壊し、政治は成り立たず、文化は追いつけなくなるだろう。そして個々の営為などはどうにもならない。

２０２０年４月25日

少なくとも近代がプラスとして肯定したてきたもの、個、自由、自主、自立、克己、営為努力それに関連した営利を基本とする経済活動、それを保証する自由としての政治など、全て通用しなくなるだろう。さりとて、それらの対極に位置するものが登場するのかといえば、そうではない。それらも終わるのだ。

２０２０年４月25日

■近代の終焉は中世的なものの終焉

近代の終焉というと新たな中世の可能性が、これまでにもいわれてきた。しかし、中世が近代のアンチテーゼであるならば、近代の終焉は中世的なものの終焉でもある。

２０２０年４月25日

飢えている人間を見たら、二つの対応がある。目下の飢える現実を黙認しつつ飢える現実を変革する対応と、現実の変革ではなく炊き出しをして目下の飢えを解消させる対応だ。これは抜本的手術と応急措置の違いでもあるが、問題は治療完了としての未来を志向する手術と、今の対処を志向する措置の関係だ。

２０２０年４月25日

何事においても、人間が出来ることは、「寝る」か「祈る」か「行う」かだろう。大半は、「行う」を良しとするかもしれないが、それは「行う」とは近代の所作だからでもある。

2020年4月25日

エルンスト・ユンガーの『鋼鉄の嵐の中で』ではないが、今、人類は「ウイルスの嵐の中で」、家をウイルスからの掩蔽壕《えんぺい》とした非外出の塹壕戦を強いられ、人間は、近代的な市民ではなく、兵士的な労働者になろうとしている。そして国民ボルシェヴィズム化した国が戦闘を継続出来るだろう。

2020年4月25日

ユンガーの『鋼鉄の嵐の中で』は戦争否定作品ではなく、戦争の凄惨さや地獄を徹底的に体験し、踏まえた上での戦争肯定作品だ。戦争に否定性ではなく、新しい時代を形成する力を見る。いかなるものにも否定性と肯定性があり、それに擬えればウイルスもまた新たな時代への媒介になるといえる。

2020年4月26日

所謂ヒューマンな思想や政治というものは、ある程度、余裕のある立場でないと不可能だ。自分はそこそこ裕福な生活が出来ているから、他人の不幸にも目が向けられるわけだ。逆に裕福でない人はそれどころではあるまい。ここには余裕のある立場のヒューマニズムとそうでない立場の生の哲学の確執がある。

2017年4月26日

政治がマニュアル化し、無思想化している。これは多くの政治活動も同様だ。それは、「悪いものは悪い」というトートロジーに基づいているからでもある。政治や政治活動が思想を回復しようとするなら、単層的なトートロジーではなく、善と悪が絡み合う重層的な構造を直視する必要がある。

後発の資本主義に不利なことは、先発の資本主義が、もっと大規模に行ったであろうことを、あたかもそれの遂行者として批判されることだ。これは後発の資本主義が後発なるゆえに、多少の荒っぽさがともなうからだが、それでも批判されるべきは後発ではなく、問題を解決したような様相の先発資本主義だ。

２０１７年4月26日

コロナ問題についての世の中の発言や動きを見ると、思想というものが、いかに現実や現実の維持とは無縁なのかがよく分る。現実は病気を治療し、病気を無くさなければならない。しかし、思想は病気の意味を問い、意味としての病気を肯定するところがあるからだ。その意味で思想は薬にならない。

２０１８年4月26日

カントの思想は難しくはないが、説明が細かく煩雑だ。それに対してヘーゲルは煩雑ではないが、誤読されやすい難しさがある。つまりカントの思想はすっきりしているが、ヘーゲルの思想は弁証法的に粘着している。

２０２０年4月27日

そのためカントの思想は現実の処方箋的な言説には使いやすい。その共通性はともかく、現に柄谷行人は『トランスクリィティーク』（岩波文庫）で、三浦瑠麗は『21世紀の戦争と平和』（新潮社）で使っている（笑）。

２０２０年4月27日

英語の「against」やドイツ語の「gegen」、フランス語の「contre」等は、源三位頼政の鵺《ぬえ》退治ではないが、鵺のようなところがある。というのも、「対抗する」と「対応する」という正反対に近い意味を表すからだ。

2020年4月27日

ちなみに東條英機は東京裁判において、アメリカの通告にあった「against」についての、アメリカと日本の、対抗と対応という正反対の意味での理解に対して批判的疑義を提起していた。

2020年4月27日

難解というのと複雑というのは少し違う。複雑でややこしいが、丹念にフォローすれば難解ではないものがあるとすれば、別に複雑でもややこしくもないが難解なものもある。例えばカントの批判哲学やフッサールの現象学は、複雑でややこしい類のものだろう。

2020年4月28日

轟孝夫『ハイデガーの超政治』(明石書店)のあとがきに立命館大の名誉教授の日下部吉信氏の名が出ていた。古代ギリシア哲学が専門で、私が40代半ば頃、暇潰しに社会人学生として入った立命館の一回生の時のクラス教授だった。ハイデガー的観点からプラトンには批判的であり、愉快なタレス論があった。

2020年4月28日

当時、立命館では日下部氏の対抗馬がフランクフルト学派やフォイエルバッハをしていた服部健二氏だった。私は服部氏の講義は受講したことはなかったが、立命館の講師をしていた、やすいゆたか氏主催の現代思想研究会では仲間であり、京都への合宿も共にしたことがあった。

2020年4月28日

考えれば、外出とはアナログ的なことであり、家でじっとしていることはデジタル的なところがある。世の中の多くのことがデジタル化されていのにも関わらず、人間の基本生活はアナログだったということだろう。誕生も死も、食事も排泄も性も、みんなアナログだ（笑）。

２０２０年４月29日

物事には、原理派と状況派があるとすれば、多分、原理派は不精で、状況派はマメだろう。原理派は、乾坤一擲の大きな物語の勝負以外は自堕落な昼寝をしているのに対して、状況派は、24時間、マメに事態を観測し、それに対処する活動をすることになるからだ。

２０１９年４月29日

その国に、所謂国賊分子がいるということは、その国が健全である目安にもなるだろう。国にとっては、国賊を監視し、どうにもならなくなれば弾圧すればいいだけだ。国賊の存在は、その国に自由があることの手形の裏書のようなものだといってもいい。国賊の存在を否定する立場こそ文字通り国賊ものだ。

２０１９年４月29日

「マルクスに帰れ」というようなマルクス研究者は、本質的に文化左翼であり、それゆえに革命の敵なのではないか。というのもマルクスの思想は必ずしも革命的ではなく、マルクスの思想に、他の革命的な思想が加わることにより革命思想の一派としてのマルクス主義も成立したからだ。

２０１９年４月29日

現代に思想がないのは、近代やポスト近代において思想の立脚点とされてきたアルキメデスの点が喪失したからだ。文字通り、かつてニーチェが言った、全てに根拠はないという状態が現実として成立したといえる。つまり万物は資本主義に巻き込まれて商品化し、そして商品そのものが商品化するのだ。

ニヒリズムとは何か。ニヒリズムとは端的にいえば資本主義であり、資本主義の本質は、万物を交換価値化することにより個別性を喪失させることにある。だから全ては商品化し、売買の対象となる。つまり自由に買い物が出来るというのはニヒリズムになっているからなのだ。

２０１８年４月29日

問題は、状態として語られるニヒリズムは、何処にあるのかということだ。何処かに、状態をニヒリズムだと語る立脚点があるからこそ、そこから見て、目の前の様態はニヒリズムだといえる。しかし、そのような立脚点すらないとすれば、どうなるのか。それが思想不在の問題なのだ。

２０１８年４月29日

マスクが不足しているのかどうかはともかく、コロナ問題が長引けば、すでに一部で私的に作られているかもしれないが、女性専用のファッショナブルなお洒落マスクのようなものが登場し、マスクを装着した時の目をポイントにしたメイクアップの方法も出てくるだろう。

２０２０年４月29日

今日の日経新聞朝刊の連載小説（「太陽の門」）の安藤巨樹による挿絵を偶然に見たが間違いだろう。スペインの上空に飛来したナチス・ドイツの爆撃機の絵だが、スペインに飛来するとは内戦期のことであり、その時は、ドイツの空軍としてではなく、義勇航空隊として参加しているのだから、飛行機には鉄十字その他は付けていない。

２０２０年４月30日

◇5月 「逃亡」は戦後に対する一個の思想である

■『精神現象学』で評価されたらヘーゲルもたまらんだろう

コロナは怖いから外出しないのか、怖くないから外出するのか。人により様々だが、革命派をはじめとする変革派はチンピラではないのだから、そのような街中での根性の肝試しはどうでもいい。国家を相手に闘う者に必要なのはリアリズムであり、不要な病気を避け意識も身体も常に出動可にしておくことだ。

２０２０年5月2日

思想とは、筋を通すことではない。筋を通すことは説教であり、生活の論理だが、思想は、生活の論理に対する批判性を持つことにおいて反説教的であり、そして筋の通らない矛盾を抱え持つ。だから生活が思想を批判するのは簡単だが、それに対して思想は矛盾を抱え持ち、維持する力が求められる。

２０１9年5月3日

吉本隆明は「覇権的知識人」とされた。では覇権的知識人とは何か。簡単にいえば思想を生計の糧としようとすることであり、思想を飯のタネとするには思想的な覇権を握らなければならない。しかし、思想を生計の糧とした瞬間、吉本がそうであったように覇権的知識人は資本主義のチンドン屋と化している。

思想的にいえば、戦略的な花田清輝と比べるならば、花田的戦力を思想倫理的に批判した吉本の思想は、実は吉本には実利的だったが、戦略性のない説教であり、本質的に表層的な評論にすぎず、つまらないものだったといえる。

2019年5月3日

政治は現実を相手とするため、わかり易さが必要だ。しかし、わかり易さが問題を浅薄なものにしてしまう場合も少なくなく、そのような場合、わかり易さに警戒し、わかり易さの胡散臭さを問い、場合によってはわかり易さを粉砕する必要もあるだろう。

2019年5月3日

近代の思想は叙述の在り方からすれば、まず近代を説明し、次いで近代そのものを概念化し、そして近代の概念の存在を叙述した。これ以降の思想は、存在論の叙述ではなく、存在論の叙述そのものを存在論化する必要がある。それが思想が、研究や批評とは異なり、また現実の処方箋とも違う所以でもある。

2017年5月3日

フィヒテ、シェリング、ヘーゲルという展開として取り上げられるドイツ観念論の近代における重要性は、カントのような対象的な説明思想の認識論性を存在論化せんとしたところにある。それはカントが不可知として放置した物自体に対して、ドイツ観念論は物自体の存在論的把握を志向する。

2020年5月3日

『精神現象学』はヘーゲルにとっては、自分の前座にすぎない。そこに見られる「精神の発展の

2020年5月3日

大パノラマのような驚異」を止揚することがヘーゲル哲学の目的だ。大澤真幸のように『精神現象学』で評価されたらヘーゲルもたまらんだろうし、そのような評価が思想を説明に堕せしめている。（＊朝日新聞読書面・『精神現象学』は、精神の発展の大パノラマのような驚異の書物であるヘーゲル「精神現象学」を大澤真幸が読む：朝日新聞デジタル）

２０２０年５月３日

日本のアナキズムは幸徳秋水や大杉栄のような個人や反組織的な生き方が連想されがちだが、アナキストの党的組織を作ろうとしたのが「無政府共産党」であり、それは自由連合ではなく鉄の規律のボルシェヴィキのような党だ。私は１９６８年闘争期に組織的なアナキズム運動の視点から、この無政府共産党を評価した。

２０２０年５月４日

最近の映画と比べて、昔の、１９６０年前後からそれ以前の映画が、良くも悪くも面白く思えるのは、現実がまだ資本主義によって完全に食い尽くされておらず、前資本的な現実があったからだろう。だから全ては交換の対象とはならず、そこが面白さの由来だったといえる。

２０２０年５月６日

近代に対して反近代と超近代という立場がある。反近代は、場合によっては、単なる近代以前にすぎないこともあれば、超近代は近代の延長にすぎないこともある。戦間期の近代を巡るハイデガー、ユンガー、ルカーチの思想の差異もそこから見分けることが出来よう。農民か兵士か市民か。

２０２０年５月６日

小野十三郎といえば、ある人々には大阪文学学校の創設者であり、また漫才台本の作家でもある。

しかし戦前の彼はダダイストの萩原恭次郎らの影響を受けアナキズム運動に参加し、また党志向の異端派とされる無政府共産党のシンパだった。そればかりか中野正剛のファシスト東方会とも交流があったらしい。

２０２０年５月６日

市民社会に生きていると、無職か何らかの職業名が付く。20歳の時に１９７０年の反安保で東京に出、雑誌に文章を書きだした頃、私の職業名は曖昧だった。『映画批評』のために松田政男さんが考えたのが「社会運動家」だったが、他にもいろいろあり、30代になっても定着しなかった。考えれば、今も未定だ。

２０２０年５月６日

その松田政男さんの職業名は、大抵の場合「映画評論家」となっている。批評と評論の違いはともかく、しかし、当時の私にとっては松田さんも職業不明で、映画評論家とはこの世を生きる仮の姿の印象だった。というのも私は松田さんの映画評論ではなく『テロルの回路』（三一書房、航思社から増補版の予定）の愛読者だったからかもしれない。

２０２０年５月６日

表現には大別して二つの傾向がある。「見える」ものを表現するか、「見えない」ものを表現するかだ。方法的には、見えないものは、見えるものをダシにして表現していたが、存在としてはそれは無効になる。見えるものの表現は包装化するとすれば、見えないものの表現は不可能となる。

２０１７年５月６日

問題は、この見えないものの表現の不可能性の維持だ。不可能性は不可能性として存在しなければならない。しかし、それは表現としては不可能だから作品とはならない。存在としてのダダの問題の戦場はここにある。

２０１７年５月６日

R・ローゼンブラム『近代絵画と北方ロマン主義の伝統』（岩崎美術社）を読む。フリードリヒやルンゲのドイツ・ロマン主義がゴッホやムンク、マルク、カンディンスキー、クレー、エルンストを経てロスコ等のアメリカの抽象表現に及ぼした影響を跡付けているが、北方ロマン主義の表現を画法と捉えるミスをしている。

２０１７年５月６日

パリ中心の美術における「優美」に対するドイツ・ロマン主義を基軸とする北方ロマン主義における「崇高」とは、単なる別な美意識であり、画法なのかということだ。

２０１７年５月６日

優美と崇高の違いをわかりやすく言えば、額縁に入るのか入らないのかということだ。優美は額縁に収まり飾ることが出来るが、崇高は額縁に収まらず、飾ることとさえ出来ず、直面させられるのだ。むろん型式上は絵なのだから絵として描かれている。しかし、それはすでに絵ではないのだ。

２０１７年５月６日

R・ローゼンブラム『近代絵画と北方ロマン主義の伝統』は、現代のマーク・ロスコの「青の上の緑」とフリードリヒの「海辺の僧侶」を比較して、現代の絵画のルーツとしてドイツ・ロマン派のフリードリヒを捉えているが、問題なのは画法や絵の近似性の指摘に終始していることだ。そんな程度でいいのか。

２０１８年８月４日

かつて戦前に、「月月火水木金金」という言葉があったらしい。つまり、土日がなく、休みのない現実ということだ。ところで、私もまたずっと、月月火水木金金だったが、ただ私の場合は、休みなくではなく、１９７０年代は、常に、いざ鎌倉に備える休日の月月火水木金金だった。

２０１９年５月５日

人間とは人為的な存在なのだから人為を控えて自然に従おうという立場は、人間からすれば不自然なのではないか。たとえ、人為が害しか及ぼさないとしても。

２０２０年５月７日

革命派は、既存の権力を批判し、否定するが、自身が権力を握ると、志向や方向性はその意識において異なるとはいえ、これまでの歴史においては、革命に敵対した権力と、自己防衛においてやることに大差はない。革命派は、質の悪い反革命や保守反動との、この近似性を強く認識する必要がある。

２０２０年５月７日

権力にとっては、権力に必要な社会や経済的な基盤さえ維持出来れば、それ以外のことは本質的にはどうでもいいことだ。政治を司る以上、対策を講じるが、それは政治特有の表情であり、実際は時間による解決を待つ丸投げに近い。それを批判するのは当然だが、誰がやっても政治はこうなるだろう。

２０２０年５月７日

今回の東京での外山恒一君の集い（「反・自粛宴」）は、反自粛ではないところがポイント。反自粛なら、政治的な反対か、実存的な根性試しにすぎないが、これはどちらでもない。自粛のための補償を要請するのは構改的行為とも異なる。要するに自粛無視の街頭サンディカリズムとでもいえようか。

ライプニッツの、「なぜ無ではなく何かが存在するのか」という問いを踏まえてハイデガーは存在を問い、存在論を展開するが、しかし存在とは何であり、どういうことなのか。ハイデガーの存在論も所詮は地球という惑星限定のものにすぎないのではないか。火星の岩石や木星のガス、海王星の氷は、存在なのか無なのか。

２０２０年５月７日

■ウイルスも遺伝子的には人間と同族

ウイルスは、遺伝子はあるが細胞がないということで、生物にして無生物という、ある種の中間のように見られているが、その遺伝子を調べてみれば、基本構造は人間と同じだろう。人間に害を及ぼすウイルスも地球に生息しているわけであり、遺伝子的には人間と同族だろうからだ。

２０２０年５月９日

身体の具合が悪くなって医者に診てもらうと、聴診器をかけられ、そして何か注射され、２～３日経ったら、もう一度来てほしいと言われる。その真相は、医者も事態が特定出来ず、取り合えず害のない注射をして患者を安心させ、もう少し事態を進行させて、初めて正確な診断が出来るということ。

２０２０年５月９日

タチの悪い保守（笑）とファシストとの違いは、保守は、自分たちの悪や非道さ、さらには弱さを隠蔽し、否定しようとするのに対し、ファシスト（少なくとも歴史に登場したファシスト）は、自らの悪や非道さ、弱さを隠さずに肯定し、強い悪の意志で（笑）、それを乗り越えていこうとするところにある。

今は、何をやろうとも革命的なものにはならず、改良か、何かのアリバイにしかならない。それはこれまで活動の内容を根拠づけていた思想がグローバル化で崩壊し、さらにコロナ問題で止めを刺されたからだ。従ってしばらくは、つまり思想が形成されるまでは、改良かアリバイに従事するしかあるまい。

２０２０年５月９日

神とは何かといえば、神とは、何も存在しないことの虚構の証人とでもいうべきだろう。

２０２０年５月10日

宗教と神学の違いは、宗教は、神の存在を信じて信仰するが、神学は、存在しない神を存在すると言い続けるところにある。

２０１９年５月10日

日本人に外交能力以前にセンスがないのは、外交交渉で決めたことは変えられないと思っていることだ。そんなものは、いつでも反故にし、それ以前の問題を蒸し返す鉄面皮さが外交の基本だろう。

２０１９年５月11日

無根拠ということは無根拠であってはならない。無根拠は無根拠そのものが、無根拠に根拠づけられなければならない。そうでないと無根拠ではなくなり、無根拠はありえなくなるからだ。この無根拠の根拠づけをやるのが神学であり、だから神学は、神を存在の内乱罪とするとでもいえよう。

２０１９年５月10日

２０１９年５月10日

そもそも神学というものは、確信犯的な神の虚構学であり、虚構を現実だと主張し続けることでもある。

２０１９年５月10日

だから神学と哲学の違いは、神学がイデオロギーとすれば、哲学は評論ということになる。神学は狂信で、哲学は通俗だ。

２０１９年５月10日

ニーチェは、20世紀の前夜において「神は死んだ」と言ったが、ある種の神学によれば、神は最初から死んでいるのだ。

２０１９年５月10日

思想家という存在は、マルクスであれニーチェであれ、また北一輝その他の誰であれ過激な論理を展開しても問題ないが、活動家は現場の問題から、物事や活動者の関係を調整したりする必要があり、論理の格闘にのみにかまけるわけにもいかず、見方によっては思想家よりも穏健に見えたりする場合がある。

２０２０年５月11日

国家と国家の体制と政権は、それぞれにまた異なる。革命は国家の変革を、改革は国家の体制の変革を志向するとすれば、保守は国家の体制を守ろうとする。しかし、それと政権の擁護は別であり、保守は国家の体制のためなら、その体制内での政権批判や政権の交代を志向すべきだろう。

２０２０年５月11日

浅田彰の『逃走論』（ちくま文庫）の限界は、逃げろという言葉でしかなく、ヘーゲルのいう概念ではないところにある。浅田の逃走論よりも後醍醐帝の動座の方が逃走論の内実だといえよう。

2020年5月12日

吉本隆明には「逃走」という視点がなく、それは逃げ場がないゆえの転向論であり、それゆえ吉本は連合赤軍は彼なりの見方を提示したが、日本赤軍のレバノン行きは捉えられなかった。菅谷規矩雄はそこに逃走としての亡命を見たが、日本におけるその思想的根拠は、中世の日本の外に出た倭寇に求められよう。

2020年5月12日

明治政府は南朝方の子孫に爵位を与えようと調査した時、楠木正成の子孫を見つけることが出来なかった。正成死後も正行をはじめ南朝の大覚寺統のために活動した楠木一族は、日本史において行方不明となっていた。私見では、楠木党は、当時の日本の外へ逃走し、倭寇の首魁になったのではあるまいか。

2020年5月12日

まだまだどうなるか分からないコロナ・ウイルスの第一波だが、現状を転覆したいと思う人たちは、絶好の機会が到来したと喜ぶか、肯定しているとすれば、現状を否定せず手直し的に改変したい人をはじめ保守に至るまでの現状を肯定している多様な人たちには、コロナ・ウイルスは全否定の対象でしかない。

2020年5月13日

日本にトロツキー信奉者が登場するのは戦後だが、トロツキーは1940年8月に暗殺されている。すでにトロツキー派の運動は始まっており、荒畑寒村訳の『裏切られた革命』（改造社）も既に出ていたが、戦前の日本にはトロツキー信奉の思想も運動もなく、マルクス主義はスターリン主義一色だったという歪《いびつ》さがある。

２０２０年５月13日

ファシストと称する人物（外山恒一）を、その内容は何であれ肯定的に取材し報じる福岡の西日本新聞は、親ファシスト派なのだな（笑）。（外山恒一さんインタビュー、5月14日、「最近は市民が望んで監視し合っている」）

２０２０年５月14日

つまり日本赤軍の日本からの逃走としてのアラブ行きは、吉本がいうような単なるドロップアウトではなく、歴史的根拠を求めることが出来ると言うことだ。ということは、日本赤軍のアラブ行きは、それ自体が、戦後に対する一個の思想になり得るということでもある。

２０２０年５月14日

私たちが、昔からあると思っているもの、例えば、宗教や国家、政治、経済から哲学、文学、芸術、さらには自己意識から建築や遺跡に至るまで、全て近代の産物なのだ。例えば、古い建築が「古代建築」となるのは近代になってからであり、それ以前は単なる建築であり、だから当然のごとく破壊されていた。

２０２０年５月14日

キリスト教にしろイスラム、仏教その他にしろ、近代以前からあるではないかといわれるかもしれない。しかし、近代以前と以後とでは、その宗教としての在り方の内実が異なり、私たちが理解する宗教概念は近代の産物であり、近代以前では、それらは近代でいうような宗教ではなかったということでもある。

２０２０年５月14日

このことは、近代の思想の様々な概念についてもいえる。例えば、国家なるものは近代の産物であり、古代のローマ帝国も、その後のイスラムの王朝も、また中国の殷や周、秦から始まる歴代王朝も、近代に成立した国家とは別なるものだ。

2020年5月14日

■共産主義も無政府主義も天皇制も近代の産物

共産主義も無政府主義も近代の産物であり、近代以前の近似的な思想とは本質的に別物であり、それらが否定する私有制や国家も近代になって成立したものでもある。共産主義が否定する私有制や無政府主義が否定する国家は、近代以前には存在せず、それらは近代以前では別の物であったのだ。

2020年5月14日

日本にある天皇制（皇室制度）も同様であり、しばしばいわれるが、それは近代に形成されたものであり、近代以前には、今日、天皇制とされるものは存在しない。存在したのは、天皇制とは別の天皇氏族であり、この違いを看過すると、肯否に関係なく、天皇も天皇制も把握出来ないだろう。

2020年5月14日

私たちが「社会」と呼んでいる空間も近代になって生まれたものであり、近代に形成され、また近代を形成した資本主義の商品交換という現実が生み出したものであり、近代以前には、今日いうような社会はなかった。

2020年5月15日

近代の基本は、自我を根拠とする自己の努力や営為による諸行為への従事であり、その成功であり、それを基本として、そのアンチとしての反近代やアウフヘーベンとしての超近代にあるが、近代の基本そのものは、今回のコロナをはじめとするウイルスの存在により崩壊するだろう。

2020年5月14日

むろんマスメディアに登場する各界の識者はそのようなことはいえない。なぜなら近代の基本の崩壊は、現代人の生活を破壊することになるからだ。だから彼らは、復興や再建や改革を言うことになる。問題は、近代の基本が崩壊した上でのものか、崩壊しないで生き延びた上でのものかということだ。

２０２０年５月14日

ちなみにネチャーエフ的にいえば、「あらかじめ死刑を宣告された存在である」革命家は、コロナの感染と死をも恐れず、コロナと連帯するウイルス派として、コロナ・ウイルスが資本主義的近代に包摂されているこの現実を蝕み、解体していくことを全肯定することになろう。

２０２０年５月14日

水軍の力において勝っていた平家が、なぜ壇ノ浦合戦で水軍力の弱い源氏に負けたのか。平家方の水軍の主戦力だった松浦党が、源氏方にいた本流筋の渡辺党からの寝返りのオルグをかけられ、それに応じて平家から離反したことにある。渡辺党は源頼光の四天王筆頭の渡辺綱を祖とし、松浦党はその庶流である。

２０２０年５月14日

五・一五事件に参加した橘孝三郎には晩年に会ったことがあるが、さすがは北一輝等と並ぶ人物で、老いてもカリスマ性があった。北は銀行から半ば恐喝紛いの寄付を受け、彼の配下はそれで潤ったが、橘は裕福な豪農であり、活動資金は持ち出しだった。そのため彼の弟子は橘の死後、金策に苦労したらしい。

２０２０年５月15日

アナキストだったがバクーニン主義派だったかつての私は、プルードンやクロポトキンには批判的だったが、最近、何の気まぐれかプルードン関連のものを読んでいる。マルクス主義者はマルクスの『哲学の貧困』のプルードン批判しか知らないだろうが、しかしマルクスは終生、プルードンを意識せざるをえなかった。

２０２０年5月14日

プルードンは、そのアソシアシオン論の原基となる観点においてルソーの『社会契約論』を徹底的に批判しているが、後のバクーニンのマルクスのプロレタリア独裁に対する批判のヒントは、このプルードンのルソー批判にあるといえるかもしれない。

２０２０年5月14日

バクーニンが革命組織論や革命独裁論、国家廃止論において最初に影響を受けたのはドイツのブランキ派のヴァイトリングだが、そのヴァイトリングは後年、プルードンの影響を受けている。このような影響史は、誰のものであれ、きちんと精査する必要がある。

２０２０年5月14日

伝えられるセルゲイ・ネチャーエフの立場には、拙著『歴史からの黙示』のネチャーエフ論でも少し触れたが、ある種のセンチメンタリズムがある。ツァー暗殺とネチャーエフ脱出支援の選択に際し、ネチャーエフは、ツァー暗殺を優先させ、自分は獄死し、いわば自身の「革命家のカテキズム」に殉じたというような。

２０１９年5月15日

竹内好は戦前日本のナショナリズムと戦後アジアのナショナリズムを対立的に捉え、後者の傾向を日本の文学に見ようとしたが、近代日本の作家の自我の存立の根拠を問うていない。そのような立場は日本の可能性の探索ではなく、自分の観点に都合のいい資料を集めることにしかならないのではないか。

２０１９年5月15日

近代日本の思想や文学に対する批評は、ほとんど全くといっていいほど、近代日本の自我を自明視し、その由来や根拠を問うていない。だから、どれほど的確でもっともな問いを発しようとも一番の奥底がスカスカなのだ。そのスカスカな処に白蟻のように住み着いたのがヘイト的自我だと気づく必要がある。

２０１９年5月15日

竹内は、戦後のアジアのナショナリズムに対して戦前の日本のナショナリズムには否定的だ。日本のナショナリズムは成功したがゆえに帝国主義と結びついてしまったというわけだ。しかし、この悪しきナショナリズムが無ければ、戦後のアジアの抵抗のナショナリズムの自我もなかったのではないか。

２０１９年5月15日

天皇制を否定したい立場についていえば、天皇制はかつてのコミンテルンであれ、現代の何であれ、天皇制の外から否定することは出来ない。もしそのような場合、勝利した外の権力体制になるだけだ。天皇制の否定は、天皇制そのものの中に見つけなければならない。外部は実体としてあるのではないからだ。

２０１９年5月15日

テレワークが広がり普及すれば、東京や大阪、名古屋その他の大都市の都心にある巨大なオフィスビルは空室化し、そのようなビル街は廃墟化していくだろう。

私の母親は93歳になり、歳相応の身体的な衰えはあるが、元気に生きている。食事その他、身の回りの世話は、全て私がしているが、苦にはならない。若い頃、政治活動でいろいろと世話をかけたが、自分が赤ん坊に近い頃、若かった母親が乳母車で散歩に連れて行ってくれた時に見た光景を鮮明に覚えている。

２０２０年5月16日

花田清輝と吉本隆明を読み比べると、花田は分かりにくく、吉本は分かりやすい。その分かりやすさが、花田と吉本の論争において、一見、吉本が勝ったと自己演出したことを支えたのだろうが、前にも述べたが要するに花田の思想が戦略的で実践性を孕んでいたのに対し、吉本の思想は倫理的で説教だったということだろう。

２０２０年5月17日

所謂戦後の思想を見るに際して重要なのは、１９５０年代と１９７０年代の思想だろう。１９５０年代の思想は戦争と戦後の接点と断絶点を示し、１９７０年代の思想は１９６８年闘争とその〝戦後〟の接点と断絶点を示しているからだ。これらの接点と断絶点を思想的に精査しないかぎり、それ以後の時代把握は不正確になろう。

２０１９年5月18日

■無神の有神論が現代の神学

神が存在しないならば無神論になるのか。神が存在しない有神論はありえないのか。神の問題と、有神論の問題は同一の問題なのか。神の問題は存在だとすれば、有神論には要請だといえる。要請は、その有無がどうであれ、求められるものだ。無神の有神論が現代の神学だろう。

２０１９年5月18日

汎神論というものがある。簡単にいえば、全てが神だというわけだが、全てが神なら特別な神などいなくなり、汎神論は無神論の前夜とされた。ところで汎神論に似たものに万有在神論というものがある。全てが神だというのではなく、全てに神が宿っているというわけだ。これは本質と存在の違いにもなる。

２０１９年5月18日

マルクスによれば、商品とは物神だが、物神とは物と化した神だといえる。物神は商品の表層の背後に隠れて見えず（だから、霊＝精神でもある）、無の化身ともされる。日本において資本主義への問いが天皇制への問いとなるのは、近代の天皇とは物神（現人神）だったからだろう。

２０１９年5月18日

浮世絵の美人画の中で、歌麿のような大顔ではなく等身の女性を描いた鳥居清長の絵が意外と好きだが、その清長の美人画の背景として装飾的に描かれた風景と、同じ場所を風景画として描いた歌川広重の絵を比較してみた。（＊２４２頁参照）

２０１９年5月18日

マルクス主義系の革命組織で、党中央の官僚的な指導や統制を批判する傾向は、必ずといっていいほど、「アナキズム的」とか「アナルコ・サンディカリズム的」な「変更」があると批判される。ボルシェヴィキのコロンタイらの労働者反対派やドイツのローザ・ルクセンブルク等がよく知られている。

２０２０年5月19日

20年前というのは、「ついこの前」になるのか「かなり昔」になるのか。むろん、年齢により、また人によって受け止め方は違うだろうが。20年前とはある意味で中途半端でもあるが、当時のパソコンで録画した都市風景のアナログの映像を見て、ふと、その20年の差は何だろうかと思った。

２０２０年5月20日

１９９０年の時は、20年前の１９７０年は、「かなり昔」のように思えたが、２０２０年の現在からすると２０００年は、「ついこの前」のようだ。単に自分が歳をとっただけなのか。(笑)。

２０２０年5月20日

初期マルクスといえば『経済学・哲学草稿』が有名で、１９６８年闘争期もスターリニズム的マルクス主義に対するマルクス思想の原点のように持て囃されたが、初期マルクスでは『ヘーゲル国法論批判』が重要であり、マルクスの思想の要《かなめ》はこちらではないか。

２０１９年5月20日

カントとヘーゲルの本質的な違いは、カントは、物自体は不可知だとして現象界の理論を展開したが、ヘーゲルは物自体の領域へ行き、それを観念論的に展開したことにある。その意味でヘーゲルの観念論とは、メタ実在論とでもいえよう。ポストモダン以降の思想の最前線がヘーゲルなら、そこが問われよう。

２０１８年5月21日

これは過去の哲学の解釈ではなく、現代の思想の問題だ。というのも、現代思想は、大きな物語は終わったといって、カント的な現象界の理論に終始してきたからだ。合理主義の伝統を持つフランスにおける現代思想がそれだ。しかし、それはどう展開しようと、ゾルレン的なヒューマニズムにしかならない。

２０１８年5月21日

そろそろフランスの現代思想が撒き散らしたカント的なレベルの思想を一掃しよう。その糸口はヘーゲルにあり、ヘーゲルの『論理学』だ。その予備学たる『精神現象学』は、ヘーゲルにおけるカント的世界の残滓であり、フランス思想はこれがヘーゲルだというが、それは大きな間違いである。

２０１８年５月21日

ポストモダニズム以降としての最近の思想に、思弁的実在論というものがある。しかし、思弁的実在論は実在論なのだろうか。思弁的であるということは、近代以降では実在論にならないのではないか。思弁的実在論とは、思弁的に実在論として試みられた観念論にすぎないのではないか。

２０１８年５月21日

マルクスの経済学とか経済理論とか言っている御仁は今でも少なくない。しかし、彼らが真摯なのかハッタリ屋なのかは問わず、また、その内容とは関わりなく、このような観点は信ずるにたりない。マルクスには、いわれるような経済学も経済理論もない。マルクスが行ったのは、商品の神学批判なのだ。

２０１９年５月20日

マルクスの『資本論』を経済学や経済理論というように経済的なものとして取り組む立場は、当人たちの意識に関わりなく、社民や構改その他の改良屋となり、革命とは思想的にも無縁になろう。『資本論』の「経済」とは、商品にまで下降した物神としての神への批判であり、『資本論』は神学批判といえる。

２０１９年５月20日

かつて近代の超克がいわれ、少し前にはポストモダンがいわれた。しかし、実のところ、いずれも近代《モダン》の範疇でしかない。近代《モダン》が直面している問題は、人間が死に、自己意識が消滅することと地球的遺伝子の問題がある。これを突破しないかぎり、近代の外には出られないだろう。

2020年5月20日

日本の近代以前においてファシストの先祖のような存在を探すと、鎌倉幕府の執権三代目の北条泰時あたりになるのではないか。

2020年5月20日

先に、存在の根拠とでもいうべき人間の自己意識の死による消滅と遺伝子の地球的限界について触れたが、この問題に現実的に取り組まない限り、政治や社会から芸術や生活に至るまで、何を考え、何を為そうとも、何を思想し、何を実践しようとも、結局はどれもこれも同じことにしかならない。

2020年5月21日

と、このようなことを考えても、だからといってどうにもならない。日々の政治や社会から芸術や生活を、それなりに処理し生きてゆかねばならないからだ。しかし、意識的にものを考えたり、何かを為そうとする者は、このことを頭の片隅に置いておく必要はあるだろう。

2020年5月21日

ニーチェの超人の思想も、意味的にではなく現実的に見れば、自己意識の死と遺伝子的限界の突破ということになる。そしてＡＩ（人工知能）に関する問題は、この超人の代替とでもいえよう。

2020年5月21日

ふと思ったがファシストは男性主義という神話のようなものがあるが、しかしファシストの統治は委任によるものだ。委任以外に根拠がないファシストの統治の本質は男がやろうとも女性的なのではないか。男は系譜に支えられた存在とすれば女性は、その系譜の嫁となってきた。嫁を委任と置き換えればいい。

2020年5月21日

先に鎌倉幕府の執権三代目の北条泰時を上げたが、承久の乱には、伯母になる北条政子がおり、執権職は、政子が源頼朝の妻となることに基づく。しかも政子は、承久の乱では、天皇に刃を向ける賊軍的存在となり勝利している。天皇の代理の将軍から委任された執権が天皇を操作している図柄がある。

2020年5月21日

日本におけるファシストは、女性天皇か皇后派となり、過激な場合は女系天皇派となろう。それに対して、男系や男性天皇に固執する立場は、いかに強権的になろうとも保守反動の域を出ず、ファシズムとは別なるものだ。

2020年5月21日

東浩紀の『観光客の哲学』（ゲンロン）は、全く分かっていないというか、捉え損なっているのはグローバリズムだろう。グローバリズムはインターナショナリズムとは異なる。だからグローバリズムとナショナリズムの二重構造などありえず、グローバリズムにおいてはナショナルとされたものは対抗軸にはならない。

2017年5月23日

東京と大阪の「ざるそば」はかなり違う。まず、そばを漬けるつゆの味が違う。東京のものはとにかく濃くて辛い。だからそばをほんのすこし漬けて食べるが、大阪はほどよい辛さで口当たりがよくそばをたっぷり浸して食べる。東京の場合は残った辛いつゆを飲むために、そばの出し汁が出るが大阪にはない。

2017年5月23日

他にも、鰻の調理の仕方その他、いろんな違いがあるが、それらはよく知られていると思う。ちなみに、大阪は、粉物や麺類が有名だが、それは東京発の大阪オリエンタリズムの産物であり、実際の大阪は、高級料理の本場でもある。

2017年5月23日

思想関連の入門書は無数にある。入門書の知識で思想を語ろうとする人も少なくないが、入門書の知識は勉強レベルのものであり思想レベルのものではない。勉強は思想の雑巾がけかフリーバッティングのようなものであり、思想は勉強レベルを批判的乗り越える処から始まる。

2020年5月24日

日本の政府は本当に間が抜けている。おかしな中途半端なマスクを配ろうとし、また支援金を配布しようとするが、いずれもまだ届いていない所が多い。政府はいい加減なのに、何事も破綻しないのは、国民の対応の賜物か。日本はまさに社稷《しゃしょく》に基づいており、役にたたない政府は不要だな(笑)。

2020年5月24日

珍奇なアベノマスクはどうでもいいが、これからマスクを長期的に使用するとなると、単なる便利なマスクや使い勝手が良いだけではなく、女性に特化したお洒落なマスクが必要になるだろう。また顔の下半分をマスクで隠すことになるためのメイク、マスクと肌の関係や可視的部分の化粧の仕方が需要になる。

2020年5月25日

拾った動画で、東映の片岡千恵蔵主演の現代アクション映画『多羅尾伴内 七つの顔の男だぜ』と時代劇の『紫頭巾』を見たが、ラストで悪人の悪行を見破る啖呵のような科白回しが、ほとんど同じであるのが面白い。多羅尾伴内は元は大映の映画で、戦後、占領軍から禁止された時代劇の代作だった名残か。

２０２０年5月25日

今は映画は、ＤＶＤで家で見るのが主流だが、私の20代の頃は、まだ映画館の時代で、しかも入れ替え制ではなかった。だから入館した時、映画がどこまで進行しているのか、空席がなければ映画を見ながら空く席を見つけなければならない。それらは面倒なことではなく映画を見る時の楽しみでもあった。

２０２０年5月25日

メディアリテラシーを持てということが、よく言われてきた。これは一種の啓蒙主義だが、このような観点の限界は、人間なら誰もがメディアリテラシーを持てると考えている点にある。人間は、能力的に平等ではなく、また一様ではない。それを踏まえないと、このような提起は単なる題目にしかなりえまい。

２０２０年5月25日

放送大学も私がまだ東京にいた頃のものは、テレビが見られたものでも歴史や政治関連のもので、スペイン内戦を扱っていて、「アナキストは……」「トロツキストは……」という言葉がテレビから流れてきたが、最近の放送大学はテレビ放送されるものは、実学や理系ばかりで、ブランキなどは登場しない（笑）。

２０２０年5月26日

２０２０年5月27日

日本のかつての講座派的な視点でビスマルクにより統一されたドイツの近代資本主義を見ればどうなるのか。ユンカーという土地貴族と君主制が存する前ブルジョア的な段階とすれば、君主制とユンカーを一掃したナチスは、労農派的な資本主義を形成したことになるのか。

２０２０年５月27日

先週に続き、土日は、またしても、気持ち良く楽しいハードスケジュールとなった。土曜日は、毎月の定例研究会で、この日は、ジェフリー・ハーフ『保守革命とモダニズム』（岩波書店）の「エルンスト・ユンガーの魔術的現実主義」の章を読み始める。

２０２０年５月27日

●米国の原爆攻撃は犯罪なのか。（＊２４４頁参照）

左翼の国家論には、国家を支配階級の暴力装置と見る立場と、支配階級を越えて被支配階級をも含む共同性を有すると捉える立場がある。では天皇制はどうか。天皇制は支配階級の装置なのか、それとも共同性を有するのか。左翼の反天皇論の大半は前者だが、そんな立場で本当に天皇制を否定出来るのか。

２０２０年５月28日

天皇制の問題は、国家論的対象とすれば、国家の持つ共同性を天皇制においても見なければならない。ならば共和制の立場からの天皇制の否定の論理は成立しない。なぜなら共和制の現実が論理的に不可能だからだ。共同的なものの否定は、対象的否定ではなく、肯定によりそれ自身を越えさせる以外にない。

２０１９年５月27日

２０１９年５月27日

思想にしろ芸術にしろ、また政治や社会その他にせよ、いろいろな立場や発言、提言等があるが、正直に言って私は、どれも一切信じてはいない。それらは、何かをしなければならないための暇潰しのようなものだ。人間は、究極的には、新しいことは何も出来ないか、遺伝子をいじる以外にないだろう。

２０２０年5月27日

■フーコーの立場を現実の思想たらしめるには遺伝子の問題に行きつく

フーコーは、18世紀頃に、人間は生まれたのであり、まもなく人間は消滅するだろうと言った。フーコーのいう人間は概念としての人間だが、フーコーの立場を現実の思想たらしめるには、概念を生物化しなければならず、まさに遺伝子の問題に行きつく。

２０２０年5月27日

ドストエフスキーに影響を与えたといわれるソロヴィヨフは、『神人論』において、意味的でも象徴的でもなく、物理的肉体性の伴ったイエスの復活を言い、これ以外にニヒリズムを超えることは出来ないという。これも信仰という精神の問題に終わらせるのでないなら遺伝子に直面しよう。

２０２０年5月27日

人間は、対他的にはへらず口を叩きビックマウスになるが、対自的には繊細な存在だ。だから、自分は超人だ怖いものはないと言いながら、密かに傷ついていたりする。分かりやすい事例としてニーチェがいる。思想家の思想と生にズレがあるのはそれゆえであり、そしてどちらも肯定する必要がある。

２０２０年5月27日

ファシズムとは資本主義のボルシェヴィズム（あるいはスターリニズム）であり、ボルシェヴィズム（あるいはスターリニズム）は社会主義のファシズムだ。両者に共通するのは、党は活動家の組織であり、某国の自民党のような議員集団ではないことだ。

２０２０年５月27日

市川雷蔵といえば、私がネットで拾った動画だけでも、「陸軍中野学校」、「眠狂四郎」、「若親分」、「ある殺し屋」のようなシリーズ物をはじめ、「新平家物語」、「大江山酒呑童子」、「鳴門秘帖」、「次郎長富士」、「大阪物語」、「博徒一代」その他、数多くの映画に主役をはじめ出演しているが、何と１９６９年に37歳という若さで死んでいる。

２０２０年５月27日

ナチスの突撃隊はSturmabteilungだが、ユンガーが第一次大戦で隊長の一人になった特攻隊はStosstruppだ。Stossは、stossenという動詞の名詞化で、突く、刺す、一撃という意味だが、西部戦線の塹壕戦の膠着状態を突破するために敵陣への突入を任務とする特別編成された一撃必殺の部隊ということだろう。

２０２０年５月28日

第一次大戦以降に始まる現代の思想や表現は、その本質において物理力性を内包していなければならないと思う。表現ではダダイズム、思想ではユンガーが典型だが、それは破壊的攻撃力であると同時に、表現や思想が置かれた環境的な現実でもある。その現実の内的体験が、それらに破壊性を与えるのだ。

２０１８年５月29日

先代の皇后以来、天皇制における皇后ボナパルティズムの時代が始まったが、新皇后により皇后ボナパルティズムはさらに本格化しよう。歴史を辿ればその震源は記紀に神功皇后として記された皇后の在り方に求められるかもしれない。

２０１９年5月29日

江戸時代の大阪に生まれた「文化人類学的発想を先取りした」独創的天才思想家富永仲基がいる。彼は『翁の文』や『出定後語』で、仏教、儒教、神道を批判するが、そこで富永は「加上」という立場にたち、これはニーチェにも通じるといわれるが、この加上を無意識的構造の読解とすれば、北仏の戦場とチューリヒとの関係も見えてくる。

２０１９年5月29日

人間には、分からないことが沢山ある。その中で、絶対に分からないことは、死だろう。しかし、分からないというだけではやってゆけず、人間は宗教哲学を発明し、意識の慰安を行う。しかし、宗教哲学そのものが悲しいのは、どのような展開をしようとも宗教哲学は、本質的に無力なところにある。

２０１７年5月29日

■死は生物不在の惑星のようなものか

歳をとると、微かに自分の棺桶が見え、後期高齢で生きている親の死が目前に見える。死の不思議さは、人間とは、ほぼ自己意識であるのに、自己意識は死の外にあるところにある。生とは死から排除された、束の間の枝のようなものだが、肝心の死は自己意識には分からない。生物不在の惑星のようなものか。

２０１７年5月29日

既存の政治は、かなり前から演芸だったが、近年はその度合が強くなり安手になっている。登場する連中が、どれもこれも胡散臭いというより軽薄すぎる。政府の人間は馬鹿が多いとすれば、それに対する側は際物ばかりではないか。なぜ、そうなったのか。これも地球の村化というグローバル化の現象だろう。

２０１７年５月29日

人間には、恋愛その他、いろんな悩みがあるが、それらに対するもっともらしいアドバイスは、どれもこれも、よく見れば、ごく一般的なものにすぎない。このようなアドバイスは占いと似たようなものだが、実際には何の役にもたたない。アドバイスは、つねに具体的で個別的でなければならない。

２０１７年５月29日

なぜなら、一般論というものは本質的に諦観の論理にすぎないからだ。何を、どうやってもうまくゆかない時、うまくゆかなかったのはなぜかと考え、うまくゆかなかったこと全てに共通する問題を取り上げる。そして「要するに」という一般論に至るわけだ。

２０１７年５月29日

悩みというものは悩み始めと底無しになる場合がある。そのような場合、それこそ、とことん悩み、悩みを否定するのではなく、悩みを肯定し、両立しえない悩みと自分の関係を両立させる境地を、悩みを肯定したまま探求することだ。要点は悩みを肯定することだが、すると最終結論に至ることが出来る。

２０１７年５月29日

●思い込みの強さは思想になるのか。（＊２４６頁参照）

２０２０年５月29日

雑誌は号を重ねると少しポテンシャルが落ちたりするが『Ｇ－Ｗ－Ｇ』の04号は、依然としてポテンシャルは高い。今号も、位田将司君の専門の横光利一論、宮澤隆義君の久保栄・花田清輝論、立尾真士君の大岡昇平論をはじめ、ここには詳しく書けないが中山、小澤、橋口、住友、照山の各君の文章、長原氏の座談が読ませる。

２０２０年５月29日

バブーフは近代の社会主義における革命的行動のルーツになるような存在だ。断頭台に消えたバブーフに対し同志のブオナローティは「バブーフの陰謀」を文書にして伝え、そこからブランキなど次世代の革命家が生まれる。そのブオナロッティの歴史的文献が邦訳されるが、それは何を暗示しているのか。

２０２０年５月29日

出来ないことに遭遇すると、多くの人は、出来るようになろうと努力する。しかし、適当に努力して何とかなる場合もあるが、いくら努力してもどうにもならないものがある。そのような場合は、これは自分には向いていないのだと考えて放棄し、努力しなくても出来るものを探した方が良い。

２０２０年５月29日

かつては保守といえば、駄目の見本であり、保守であることは、この上なく恥ずかしいことだった。しかし、いつの間にか保守は市民権を得たのか、保守という立場が、でかい面をするようになった。これは左も同じで、リベラルなどは日和見の見本だったが、いつの間にか本流のような面をしている（笑）。

２０２０年５月29日

１９９５年、45歳の時に暇潰しに入った大学を出たので大卒となったが、考えれば高卒も危なかったと思う。中学浪人の後、府立は落ちたが、何とか当時は私立の進学校に入った。ところがアナキズム運動に参加し、成績はボロボロ。公安から何があろうと卒業させるようにという通知がなければ卒業できていなかっただろう。

2020年5月31日

ユンガー派のフランツ・シャウヴェッカーといえば、「我々は、臣民から国民になるために戦争に敗れなければならなかったのだ」という第一次大戦のドイツ敗戦の総括が知られるが、毎月土曜日開催の定例研(この日は、ジェフリー・ハーフ『保守革命とモダニズム』のエルンスト・ユンガーの章を読み始めた)の二次会で、来阪した我々団の東野君がシャウヴェッカーの翻訳を見つけていたのには驚いた。

2020年5月31日

1980年頃に、一度だけ、ゲルハルト・ローゼの『エルンスト・ユンガー――形態と著作』の付論の「エルンスト・ユンガーのナショナリズム」論の下手な翻訳をしたことがある。単に原書を読むだけであるのと、翻訳文を作ることの違いがよく分かり、翻訳とは最終的には、どんな訳文にするかの決断だと分かった。

2018年5月31日

いかにももっともらしい言葉に次のようなものがある。「今回、提示された様々な問題を真摯に受けとめ、じっくりと考えていく必要がある。」しかし、これは何も言ってないに等しい。様々な問題の「内実」と、じっくり考える「内容」が無ければ空疎であり、これらは論評的発言にしばしばみられたりする。

2018年5月31日

私たち日本人からすれば、英独仏の言語は似たようなものだ。事実、日本語と比較すると、英独仏語の間の違いなど微々たるものだ。とはいえ、英独仏語による思想は、簡単に辞書的な翻訳が不可能な違いがあったりする。簡単にいえば、言語そのものの近代的体験でもある。

２０１８年５月31日

言葉は、単に思想を言い表すためのツールであるのではなく、それ自体が思想の担い手である。だから、同じようなことを言っているにも関わらず、どの言語で言われているかにより、似たような内容も、全く異なる内容になったりする。

２０１８年５月31日

いっこうに廃れないハンナ・アーレントだが、アーレントのつまらない思想の何処に、その廃れなさがあるのだろうか。それは、私性からの公の形成であり、ネグリの「コモンウェルス」論を持ち出せば、民営化からの共的なものの構築という問題だろう。アーレントの思想で使えるのは、これだけだろう。

２０１８年５月29日

●つまらない顕教の大学と危ない秘教の私塾（＊２４７頁参照）

初期マルクスは政治的解放で不十分で人間的解放が必要だという視点があったが、これはバクーニンのブルジョア的政治の否定と社会的革命の主張と重なる。ただ、マルクスは戦略的に、まず政治という二段階革命論者とすれば、バクーニンは最初から社会という一段階革命論者だったといえる。

２０２０年５月31日

このマルクスとバクーニンの違いは、西欧とロシアの政治や社会の違いにも影響されており、あ

２０１９年５月30日

えていえば、マルクスはグラムシ的とすれば、バクーニンは初期レーニンあるいはローザ的とでもいえるかもしれない。

２０１９年５月30日

◇6月 政治は嘘を内包する

■死ぬまで見続ける青い海とは何だろうか

死ぬまで、人知れず一人で見続ける風景——保田與重郎に「セント・ヘレナ」という文章があるが、ナポレオンにとってセント・ヘレナとは何だったのだろうか。たとえば、死ぬまで見続けたかもしれない青い海とは何だろうか……。（＊250頁参照）

2020年6月1日

佐藤優『高畠素之の亡霊』（新潮選書）を読む。高畠関連本では、1978年の田中真人『高畠素之——日本の国家社会主義』（現代評論社）以来になる。気になったのは、巻末の注釈で、バクーニンについて「プルードンの影響を受けて無政府主義者に転ずる」とあるが、完全な間違い。佐藤優本にこんな誤謬があっていいのか。

2018年6月1日

高畠素之は、マルクスの『資本論』の日本最初の完訳者であり、マルクスの影響も受けながらマルクス主義者にはならず、右翼の国家社会主義者となった人物だが、私は、1970年代後半、飯田橋界隈で高畠の弟子筋の人物と会い、生前の高畠のことを少し聞いたことがあった。

2018年6月1日

ヘーゲルの美学や芸術論によれば、すでにアートというものは終焉しており、ヘーゲルにいわせれば、近代のアートなどはアート終焉後の気楽な娯楽にすぎない。ヘーゲルはポストモダン以降の思想の最前線に躍り出てきているが、彼のアート終焉論もその一翼だろう。

2019年6月1日

日本の弱点は、党派的な視点や立場がないことだろう。それは島国だからかもしれず、狭い島国だから「和を以て貴しとなす」のだろう。しかし、それは自己批判や自己解析を忌避することにもなりかねない。内輪の非を外に晒すなというわけだ。これは島国の外では通用しまい。

2020年6月1日

安倍首相の当初の政治的立場は、母方の祖父の岸信介の国家社会主義を少し水で薄めたようなものだった。だから、経済関係の政策に、やや左翼風ともされるものが胡椒のようにあったが、ネオリベ的な時代の影響から、結局は、中途半端な水で薄められた国家社会主義とネオリベの不味いジュースとなった。

2020年6月2日

憲法というと、一方の護憲に他方の改憲だが、憲法の運用の現実からすれば、護憲と改憲に大差はない。ところで、リベラルが護憲で保守が改憲なら、革命は憲法廃止だが、反動は憲法以前となるのか。

2020年6月2日

保守も右翼も、それぞれに多様化しているが、それでもあえて保守と右翼の違いをいえば、一見、近似的なことを言ったり、そのような立場だとしても、保守は政局派であり、右翼は原理派だといえる。これは、リベラル系左翼が政局的で、革命左翼が原理的であるのに対応している。

2017年6月1日

●「雲海の上の旅人」（C・D・フリードリヒ）と、「あべのハルカスの某氏」（山本桜子撮影、カバー写真）。

２０１８年６月３日

なぜ、思想と資本主義は両立しないのか。簡単な話、思想の読解力や批判力のある人間、あるいはそのようなことが何処まで出来るかという人間は限られているからだ。だから思想は量的なものと対立し、そして資本主義の基本は量にあることから、資本主義的に価値のあるものと思想は背反的になる。

２０１６年６月３日

何事にも意識と現実がある。革命なら革命思想と政治や社会での革命の現実であり、表現なら表現についての意識や思想と創作や作品になる。そして意識よりも現実が重視され、現実のない革命思想や作品のない表現論は不十分とされる。ところで思想にも意識と現実があることは、あまり知られていない。

２０１８年６月３日

思想は、しばしば現実とは別であり、現実の対極のものとされる。しかし、思想にも意識と現実があり、思想は、現実の対極の意識ではない。それは、思想における認識や思索の過程と、叙述や表出の過程の関係になる。「考え」としての思想と、「表出」としての思想は、素材と料理ほどの違いがある。

２０１８年６月３日

この思想の思考と表出の違いと関係は、革命や表現の思想でも無縁ではない。表現ならば、表現の思考と表現の思考の表出と作品という構造になり、現実である作品に対して表現思考の表出も現実性を持つということだ。20世紀現代のアートに多い宣言や綱領はこの類になる。それは非作品的現実なのだ。

2018年6月3日

この非作品的現実こそ、「神の死」と、第一次大戦としての死の総動員が突き付けた現実だ。非作品的現実の問題が欠落した作品は、一見、現実のようだが、それは現実たり得ないだろう。つまり表現たり得ず、現代は、表現は表現のみでは表現たり得ず、表現を可能にする非表現的現実が不可避なのだ。

2018年6月3日

思想を読解するとは、どのような読み方をすることなのか。書物に書かれてあることや、現実の出来事を、それに関連した経緯や知識などにより読解したり分析することではない。それはまだ勉強にすぎない。思想とは、言説であれ現実であれ、対象となるものの論理的な現実の構造を抽出することだ。

2020年6月4日

日本には天皇制否定の意識や意識の理屈はあるが、実のところ天皇制を否定し得る思想がない。それは天皇制を肯定する思想、天皇制の神学がないことの反映でもあるが、それゆえに天皇制否定の意識ではなく、その現実を論理化する思想を確立するには、否定的な天皇制の神学を形成する必要がある。

2020年6月4日

天皇制の肯定派は、このような天皇制否定のための反神学的な神学などとんでもないと批判し、否定するかもしれない。もしそうであれば、天皇制肯定派は、思想的にも現実的にも負けるだろう。天皇制肯定派は、むしろ天皇制否定の思想と現実を核心としていて初めて無敵になるのだ。

2020年6月4日

■ナチスの人種主義の裏の声

ナチス信奉者は、ホロコーストの否定や相対的なナチスの善政をいう。しかし、ナチスの画期性は、その肯否を別にしていえば、ホロコーストとその根拠ともいうべき生物的な人種主義しかない。ナチス信奉者が本当にナチスを肯定したければ、ホロコーストの根拠にもなった悪評高いナチスの人種主義の可能性の抽出以外にあるまい。

2020年6月4日

ナチスの人種主義の裏の声は「これまでは（人種を）解釈してきただけにすぎない。重要なことは（人種に関連したこと）を実践し、変革することだ。」この観点からすれば、ハイデガーの「黒ノート」も日和見にすぎず、批判派がナチスを批判したければ、その人種主義の遺伝子論的な未熟さを叩くことだ。

2020年6月4日

ナチスに対するハイデガーの「黒ノート」の反ユダヤ的発言の解釈的な日和見に関連していえば、轟孝夫『ハイデガーの超政治』の解釈は、そのハイデガー側からの一つの答えでもあるといえる。

2020年6月4日

国家社会主義と国家資本主義は、何がどう違うのか、今一つ分かりにくいが、いずれも共産党の指導下にあるとはいえ、旧ソ連は国家社会主義的であり、現中国は国家資本主義的だ。

2020年6月4日

どのようなわけか、去年は咲かなかった庭の額《がく》紫陽花が、今年は綺麗に咲いている。去年は不機嫌で、今年は機嫌が良いのか。せっかく咲いたのだから、せっせと水をやることにしよう。

額紫陽花が咲いたので水をやっていると、地面や植物の中に動く小さな虫を見つける。一日散に動いているが、一体、お前は何のためにそこに生きているのかと思わなくもないが、考えれば、宇宙という庭においては、私自身が、この虫のようなものなのだろう。

２０２０年年６月４日

イタリア未来派のマリネッティは戦争肯定で知られるが、ドイツのエルンスト・ユンガーもその戦争肯定はカイヨワによれば戦争肯定論の真打とされる。しかし、マリネッティとユンガーの戦争肯定には決定的な違いがあり、その違いこそ、その後のマリネッティとユンガーを大きく分けていく。

２０２０年年６月４日

記紀における神武建国に際してのイワレヒコの存在を、シェリングの『人間的自由の本質』（岩波文庫）やエックハルトのドイツ神秘主義の神と無根拠や悪の問題の思想と絡めて読むと面白い。

２０２０年年６月４日

文学という形容は、日本文学とか英文学のような分野としての文学を指す場合の他に、非政治的なものを指す場合がある。この場合、政治は現実の謂とされ、政治に対する非政治としての文学は理念や観念であり、非現実の謂にもなる。「現実的には無効だが、文学しては可能」というような使われ方をする。

２０１９年年６月４日

私の近辺には、なぜか中島みゆき信奉者が少なくないので、このようなことを言うと、反論や異論があるかもしれないが、それを度外視して、あえて言えば、中島みゆきの歌は文学だといえよう。

２０１７年６月３日

て自由だが。

この「文学」を、そうでしかないと否定的に捉えるか、可能性の現れとして捉えるかは、人によっ

2017年6月3日

三島由紀夫は、自身の文学は、良くも悪くも文学だということを十分に理解していたが、意識的に、ある時点から文学であることに(あるいは文学でしかないことに)耐えられなくなったのだろう。

2017年6月3日

エルンスト・ユンガーの文学は、文学となった非文学といえる。ただ、ユンガーの場合、その非文学としての現実が政治ではなく軍事だったことだ。そこに、あえていえば、トーマス・マンともブレヒトとも異なるユンガーの文学の内実がある。

2017年6月3日

作家論と作品論というものがあるが、作品論が主軸の場合は文学であり、作家論が主軸の場合は非文学性を持つといえる。これは文学に限らず、歌においても同様で、曲や歌詞を含む歌が主軸なら文学であり、歌よりも歌手が主軸なら非文学的ともいえる。

2017年6月3日

マルローの『征服者』(角川文庫)は、1925年の広東革命に関連した国民党の人間が登場するが、国民党関連の著書を探すと山田辰雄『中国国民党左派の研究』(慶応通信、現在、慶應義塾大学出版会から復刊)が書架の奥にあった。奥付を見ると1980年刊行だが、いつ入手したものやら。他にも国民党関連の著作が幾つかあるが、とりあえずこの著作から読んでみよう。

2020年6月4日

中国の国民党左派だが、左派といえば、『自由主義とファシズム』(大月書店)が邦訳されている

ラインハルト・キューンルに『ナチス党左派』がある。キューンルのファシズム論は、タールハイマーのファシズム論に修正を加えた左翼的批判の一つだが、彼のナチス左派論は、Ｐ・スタッチャラのグレゴール・シュトラッサー論との比較も面白い。

２０２０年６月４日

コロナ問題で分かったことは、人間はやることが何もなく、何も出来ないということではないか（笑）。人間が、人間でしかないという現実の限界に直面したからだ。もう何をやっても無駄であり同じことの繰り返しになろう。文字通りニーチェのいう超人を生物的存在として創出するしかないのではないか。

２０２０年６月４日

ユンガーのいう兵士は、生物的ではないが組織的な超人だ。というのは、兵士には自我や自己はなく、それゆえ死ぬ自分はおらず、死ぬのは兵士全体の分身であり、兵士そのものは死なないからだ。兵士が市民と異なるのはそこであり、市民は死すべき人間にすぎない。

２０２０年６月４日

ナチスの人種主義における支配人種とされたアーリア人は、ニーチェ的にいえば、高人にすぎず超人ではない。というのもナチスは、新たに創出された人種をアーリア人にしたのではなく、アーリア人と認定した人種を保存しようとしたからだ。そのようなアーリア人はニーチェ的にいえば滅びるべき存在だ。

２０２０年６月５日

シュタイナー的オカルトは、アーリア人を神智学あるいは人智学的認識論によって現実化しようとした。しかし、神智学や人智学は、ナチスの生物学的唯物論と比べると単なる観念にすぎない。

問題は、シュタイナー派のような超感覚的現実の認識でもなければ、ナチスのような選択的な人種の保存でもない。

2020年6月5日

ゲーテの「死して成れ」もヘーゲルの「死の中の精神」も、いってみればゾンビのようなものだ。ゲーテやヘーゲルにとってゾンビ的存在は意味的要請だったが、ニーチェは、彼においてもまだ要請だったが、意味から存在へと転換せんとし、その転換の現実の場となったのが第一次大戦の戦場だった。

2020年6月5日

TBSテレビ系の「ひるおび！」に、旧帝大の某国立大の総長だった従兄弟が、免疫学の世界的権威として出ている。

2020年6月5日

中学一年の時に学校の図書館で読んだ大乗仏教を確立した龍樹《りゅうじゅ》の伝記が、最初の思想書の読書だった。むろん龍樹の思想を成りたての中学生が分る訳がない。ただ、今でも鮮明に覚えているが、その時に強く思ったことは、言葉による伝達の不可能性だった。言葉の意味とは別に、そこに託した感情は伝わらないということだった。

2020年6月6日

それが言語であれ、音楽、絵画、映像その他の何であれ、全ての表現は、あえていえば、所詮は観念であり、本体の偶像的猿真似でしかないと思っている。現実の何かを実際に、それも無意味な、その意味では純然たる破壊を体験したならそう思うだろう。極を体験すると、他は全て子供騙しのようなものだ。

■人間は死ぬ限り近代を超えられない

人間は死ぬ限り近代を超えられない。というのも、近代とは、人間が死ぬことだからだ。それまで人間は死なず、神の下へ行くだけだった。しかし、自我を持つことで人間は死ぬ存在になった。だから近代を超えるには、死んでも生き返る存在、ゾンビになることだ。それも観念ではなく生物的現実において。

2020年6月6日

神などいない、神とされるものは人間の別名だというような人間的な無神論は、神的な有神論と比べると容易《たやす》い。しかし、神的な無神論となるとどうか。つまり、神自身は、無神論者なのではないかということだ。神がさらに神を持つならば、神は神たり得ない。神自身の無神論性は容易いものではないだろう。

2020年6月6日

人間の現実感覚は、接触志向の産物だ。美術館で手で触れないようにと注意書きがあるのも、これに関連。接触志向が無くなったり減退すると、現実感覚は消滅するか後退する。この現実感覚の元としての接触志向を皮膚感覚的に担っているのが性であり、性的なものが減退すると現実は遠くなるだろう。

2020年6月6日

無神論の問題に人間の始原がある。人間は何から生まれたのかということだ。子は親から生まれるとすれば、始原の親は何から生まれたのか。これが生物進化論の問題にもなるとすれば、では、始原の生物は？　そこで遺伝子はあるが細胞はないため、生物と無生物の中間とされるウイルスに至る。

２０２０年６月６日

人間の意識は、歴史の始原や宇宙の果てまで及ぶが、現実は身近な周囲に生きている。いくら歴史の始原や宇宙の果てに思いを致そうとも腹が減る。食事の他に様々な日常生活がある。それも歴史や宇宙の出来事の一コマともいえるが、やっていると意外に手間がかかり大変だ（笑）。

２０２０年６月６日

高齢になっても意識がボケることなくはっきりしていることは幸福なのか不幸なのか。高齢といってもやはり年齢差によって違う。人にもよるが、やはり90歳を過ぎると、自分の身体が半ば人間のものではなくなる。意識ははっきりして自分だが、身体がそうではない状態、そしてその時の感情だ。

２０２０年６月６日

ユンガーは第一次大戦の凄惨な物量戦の現実も、地球の外から見れば、無数の蟻の争いのようなものだという。同じように個々の人間が持つ悩み、苦悩、苦痛なども、それがどれほど深刻であれ、蟻が持っているそれと同じようなものでもある。ユンガーは、それを電話帳や時刻表に譬えていう。

２０２０年６月６日

いかに否定的な現象だったとしても歴史となったものは、単に否定的に捉えたり批判するのみでは、それを克服し、その後に至ることは出来ないだろう。なぜなら歴史となったことにおいて、それを肯定的に担った現実があるからだ。この肯定性は、否定や批判では乗り越えられないだろう。

２０２０年６月７日

私は、１９６８年闘争についての実存的な反省や経験的な回顧は好まない。はっきりいえば、そんなことは何度やっても無駄だろう。必要なことは、1968年闘争が、その政治的無意識において構造として持っていた可能性を歴史として抽出することだ。1968年闘争の体験ではなく歴史性を問うべきなのだ。

2018年6月7日

日本と韓国の違いは、美意識で見て、グスタフ・ルネ＝ホッケ流にいえば、韓国は古典主義で日本はマニエリズムということだろう。だから女性では韓国は美人が基本となるのに対して、日本は可愛いが基本となる。美人と不美人は両立しないが、可愛いは不美人をも許容し、そこが日本のマニエリズムの所以である。

2018年6月5日

この古典主義の韓国とマニエリズムの日本の違いは、儒教の浸透度によるのかもしれない。儒教は人為的な努力による向上を良しとし、美についてもより美しくなる努力や営為を評価する。ところが日本は惟神の道というある種の自然主義があり、それが儒教的努力を相対化し、不美人もおかめとして肯定する。

2018年6月5日

グローバル化した現実とは、商品の汎地球化として万物の民営化であり、要するに万物が私物化の対象となる。そうなると、公的なものも私物化され、公的なものは不可能となる。法治も徳治化するであろうし、全てが賄賂や忖度となり、それに対する批判も敵対的利害の現れにすぎなくなる。

2017年6月6日

白人の非白人に対する差別はなくせるのか。これは人間は差別意識を共的になくせるのかということでもある。個々的には可能だが、啓蒙では共的に不可能ではないか。可能なのは白人を逆に差別する現実を構造的に生み、その後、相殺するしかない。そのためには近代の超克だ。近代とは白人の現実だから。

2020年6月8日

今でも、コスモポリタンとインターナショナルとグローバリゼーションの違いが分からず、混同している立場が少なくない。この三者は、三つ巴的に否定的な関係にある。

2018年6月9日

この違いが分からないから、たとえば東浩紀のように、グローバリズムに対抗出来るものとしてナショナリズムを想定したりする羽目になる。グローバリズムはナショナリズムをローカリズムとして吸収している。だからナショナリズムは反グローバルなものにはなりえない。

2018年6月9日

たまたま佐伯啓思『貨幣・欲望・資本主義』（新書館）に目を通したが、佐伯も、インターナショナリズムとグローバリズムの違いが分かっていない。だから資本主義とグローバリズムを同時的なものと捉えている。グローバルを一般語彙と見ればそうだろうが、歴史的語彙と捉えれば完全な間違いだ。

2018年6月9日

日常生活の感覚や常識の延長で、何か可能性がありそうに思える思想は注意した方がいい。それらは、いかにももっともらしいが、そのもっともらしさは、それの本質的な現状肯定性にあり、そこには実は何の可能性もない。その可能性のなさが、それらの現実性なのだ。

2018年6月9日

保守やネトウヨは、新左翼といえば、護憲で反戦、非武装だと理解しているらしいが、それは大きな誤解か無知。新左翼には、反戦派と革命戦争派があり、革命戦争派は、改憲、戦争肯定、核武装派でもある。保守やネトウヨと異なるのは、既存権力ではなく、自己へゲモニーでそれを志向するところにある。

2018年6月9日

嘘つき政治家の安倍首相が、なぜ、まだ政権の座に居られるのかというような政治への批判や疑問があるようだ。その理由は簡単で、政治は嘘を内包するものだからであり、そのようなことはマキャヴェリ以来の政治の基本だ。安倍批判は、安倍は本当に嘘つきなのかという点にこそ求められるべきだ。

2018年6月9日

アナルコ・キャピタリズムというものがあり、アナルコという語が付いているが、その内容はアナキズムとは対立的なものだろう。なぜならアナルコ・キャピタリズムの自由は、リベラリズムの自由の急進化だが、アナキズムは多様とはいえアナキズムの自由は、そのような自由とは相いれないからだ。

2020年6月9日

マルクスの本だけ読むとマルクスが批判した相手は、どれも馬鹿に見えるが、その相手たちの本を読むと、マルクスに対抗する見識がある者もおり、またマルクスの批判が的外れだったり、マルクスの悪意にすぎないことが分ったりする。

2019年6月10日

アダム・スミスによれば、資本主義には、見えざる神の手があるとされた。しかし、それは資本主義の外が想定されて可能になるが、資本主義の外がなくなると、見えざる神の手もなくなる。人間が神の手を代行せざるをえなくなるのだが、多国籍に渡る企業や共産党などの独裁政党などは、そのようなものだ。

2019年6月10日

第二次大戦後のユンガーは、「森を行く人」となっている。かつては苛烈な戦士で、市民的なものを全否定する労働者だったユンガーは、単独で森を行く人となっている。しかし、これはユンガーが変わったわけではない。兵士・労働者の在り方が、時代に応じてそうなったのであり、その在り方が思想となる。

2018年6月10日

戦後のユンガーは、その「無政治性」が指摘され、彼の個人的秘書を務めたことのあるアルミン・モーラーは、そのようなユンガーを一時、批判した。しかし、ユンガーは、本来的に無政治的であり、その政治と見えたものは政治ではなく思想だった。そして彼がナチスに入党しなかった理由もそこにある。

2018年6月10日

ユンガーによれば、政治は数であり、思想は深さ。だから政治は最大公約数的な大同団結が求められるが、思想は最小公倍数的な純化的分派の傾向となる。その意味で、政治と思想は、背反的関係にあるといえる。要するに、政治は野合で、思想は内ゲバということだ。

2018年6月10日

何事も、身も蓋もなくすと面白くなくなると考えている人がいるが、実は反対で、身も蓋もなくした方が面白い。身も蓋もなくなってしまったならば、面白さしかないからだが、その面白さは形而上的なものといえるかもしれない。

戦国時代の軍師というと、作戦参謀のように思われているふしがあるが、軍師の実態は、戦勝祈祷にある。つまり、戦の前に、祈祷により先験的に戦勝という戦果を告知するのが役割であり、それで士気を鼓舞する。

２０１８年６月10日

皇室の皇祖神といえば天照大神がよく知られているが、『日本書紀』を読めば、「高皇産霊尊」（タカミムスヒ尊）という、いってよければ正体不明の神が登場しており、天照大御神よりも、こちらが皇祖神のいわば本家筋になっている。これは天皇の始原である神武天皇（イワレヒコ）を考える上で興味深い。

２０１７年６月10日

北一輝の変革論のユニークさは、左翼のように天皇に敵対するのでもなければ、右翼のように天皇を擁立するのでもない処にあった。彼は、天皇を手段として利用しようとした。それが天皇大権の発動だが、北の構想では、大権の発動者は天皇だが、執行者は革命勢力となる。日本のファシストたる所以だろう。

２０１７年６月10日

国会その他の質疑応答で、与党側の言葉に「丁寧に説明する」とか、質疑応答の時間が短いというようなものがある。そこで疑問に思うのだが、丁寧な説明がなされれば良いのか、質疑応答が十分行われれば良いのかということだ。なぜなら、「丁寧」とか「時間が十分」などは形式的なことにすぎないからだ。

２０１７年６月10日

加速主義は、加速によって資本主義の先へ行き、資本主義の外へ出ようとするものだが、その加速の加速性の担保は何なのか。単に加速であるだけなら資本主義のスペースで加速しているにすぎないからだ。

２０１９年６月11日

考えてみれば、暴力革命とか総破壊は、極めてアナログ的なことだ。世界のデジタル化が進行すればするほど、このようなアナログ的なことは置き去りにされ忘れられていく。しかし、デジタルは自分で自分のスイッチを入れることが出来るのだろうか。このアナログの反撃はＡＩの問題とも無縁ではない。

２０１７年６月11日

いつの頃からか、不良という存在が目立たなくなり、不良の蛮行に代わって、いじめが浸透し、一般化した。幕末の志士と侠客が並行的存在であるように、学生運動と不良も並行性があるとすれば、不良の蛮行がある種のレーニン主義であり、いじめは、その世界の構造改革的性格を持っているともいえる。

２０１７年６月11日

同じような近代や近代批判の思想であっても、例えばイギリス、フランス、ドイツ、ロシアではかなり異なる。これは国民性というより、それらの地における資本主義の進展度による現実に対する観念と経済の規制度の違いによる。だからある地の思想が別の地で展開されると同じ思想なのに違ったものになる。

２０２０年６月11日

例えば国際的とされるマルクスの思想もそうだ。マルクスは後発近代のドイツからフランスを経て先発近代のイギリスへ行き、イギリスの資本主義を分析対象として『資本論』に取り組んだ。しかしマルクスの資本主義解析の論理はドイツ的であり、イギリスではあのような展開にはならないだろう。

2020年6月11日

このようなことは個人的な資質に解消されるものではない。なぜなら、個人であることそのものが、イギリス、フランス、ドイツ、ロシアでは異なり、別種の個人となる。従って個人的資質なるものもそれらによって影響されるからだ。

2020年6月11日

梅雨は、鉛色の低い空から雨が降り続け、湿気も多く、この時期を嫌う人は少なくない。しかし、鉛色の空は、荒涼とした海に似たものであり、フリードリヒの「海辺の僧侶」の光景が季節になったものと考えれば、好き嫌いとは別の観点から梅雨が経験出来るのではないか。

2018年6月12日

存在とは生身の現実ではなく、記憶の現実だ。つまり、記憶が現実として在る限り、そのものは存在する。だから人間は別離の時に、「忘れないで」と言うのだ。そのものが死ぬ時、存在が消滅するのは、記憶が失われ、忘却が取って代わる時だ。お通夜には死者は、まだ記憶として存在する。

2017年6月12日

ミシェル・アンリは、現象学からマルクス、精神分析からカンディンスキーまで論じる多彩な思想家でもあるが、よく分からないのは、例えば『共産主義から資本主義へ』（法政大学出版局）の中での「生きた個人」という言葉だ。このような生な言葉は分析過程ではともかく、思想の記述に可能な語彙になるのだろうか。

ミシェル・アンリは、この「生きた個人」をシュティルナーの唯一者への批判として使用しているが、これは説明的な言葉ではあっても、思想記述に使える言葉ではないだろう。なぜなら、その「生きた個人」の概念的内容がないからだ。ただカンディンスキー論は興味深いものがある。

２０１６年６月12日

２０１６年６月12日

■天皇と知識人と大衆

かつての佐野学、鍋山貞親の転向は有名だが、なぜ転向は生じるのか。転向の内在的な動機は何だろうか。吉本隆明は、知識人の大衆からの孤立を言ったが、では、その孤立とはどういうことなのか。知識人に転向問題が生じるのは、知識人とは異なる大衆の近代化においては天皇制が不可欠だという問題ゆえだろう。

２０１６年６月９日

知識人は、知識により近代化が可能だとすれば、大衆はそうではない。生活に生きる大衆は、知識ではなく生活を可能とする制度を通じて近代化するのであり、それが天皇制なのだ。つまり知識人は天皇制無しでも意識的に公共性を持ち得るが、大衆は天皇制が無ければ共同性を持ち得ないのだ。

２０１６年６月９日

知識人は倫理の根拠として天皇制を必ずしも必要とはしないが、大衆は、天皇制無くしては倫理性を持ち得ないといえよう。天皇制は明治期に作られた定在する超越神（現人神）だが、それゆえに超越神のない東アジアにあって、唯一、公共の倫理を可能とし、天皇制ゆえ、日本の大衆は倫理を持ち得るのだ。

日本で天皇制を批判し、否定するのは知識人だけであり、大衆は天皇制と共にある。この違いから、知識人に、非転向という知識への内部亡命か、大衆への接近としての転向という問題が生じる。吉本は転向を通じての新たな問題の発見を言うが、それは転向問題における構改派のようなものにすぎないだろう。

2016年6月9日

日本人は、公共心や倫理観、正義感、フェアな意識、公共的な道徳感情を持っていても、それを当然だと考えている。しかし、それは当然なのではない。というのも、そのようなものなど無いような国や地域、文化があるからだ。つまりそれらには歴史的、社会的根拠があるのであり、それを忘れてはならない。

2016年6月9日

イデオロギーは、ある種の構想力の産物であり、それゆえ、歴史に対する視点も実証史学的なものとはやはり異なる。というのも、ある意味では身も蓋もない実証史学に対してイデオロギーは可能性を追求するものであるからだ。

2016年6月9日

むろん、実証史学を全く無視したイデオロギーは、幼稚な妄想に堕しかねないだろう。有効なイデオロギーは、実証史学を踏まえ、その実証的な史実から、実証的視点では見えないような史実を突破する可能性を模索するといえる。

2016年6月11日

その意味では、実証史学は悪く言うとドキュメント史学にすぎず、歴史の整理屋にすぎないとい

2016年6月11日

えなくもない。ドキュメントは否定しがたい事実だが、歴史は、そのような事実以上の現実を開くのであり、イデオロギーはそれを可能性として把握しようとするといえる。

２０１６年６月11日

現実に対して設計的建築論と自然生成論がある。近代的視点は前者に多く、超近代志向は後者に多い。初期の実存論から後期の存在論へ変化したハイデガーも建築から生成への移行とされる。そこで面白いのがユンガーだ。彼の技術論は総動員の要諦だが、その技術は建築性と生成性を持つところにある。

２０１６年６月11日

笑い話になるかもしれないが、難波の高島屋デパートの前にゴジラが現れて、現在の丸井がある場所に以前あった南海会館を壊していたり、閻魔のいる地獄が、浜寺公園の下の地中深くにあるという夢を覚えている。それこそ映画そのもののような夢だったが、どちらも妙に現実味があった。

２０１６年６月12日

私は、１９６８年闘争を、高校生、浪人生として闘った、私がいうところの全共闘の「年少世代」派だ。数年前に、飯田橋で行われ、１００名近くの、今は還暦となった元高校全共闘が全国から集った催しの総括のスピーチでも言ったように、我々の闘いは、依然として継続中である。それは単に形態としてではなく、歴史性においてだ。（＊251頁参照）

２０２０年６月12日

マルクス研究者である的場昭弘の『未来のプルードン――資本主義もマルクス主義も超えて』（亜紀書房）によれば、マルクスがプルードン批判の『哲学の貧困』を書いた動機は、当時、無名だったマルクスが、有名な思想家だったプルードンに噛みついて有名になろうとした、よくある無名者の上昇志向だったとのこと。

2020年6月12日

ちなみに、プルードンとマルクスの関係で、マルクス研究者でありながらプルードンを過小評価したり半ば小馬鹿にしていないのは、森川貴美雄『プルードンとマルクス』(未来社)以来か。

2020年6月12日

山口百恵は菩薩だといった平岡正明の限界は、松田聖子が分からなかったことだろう。平岡は中森明菜にも理解を示したが、山口百恵と中森明菜は歌謡曲の文学になり得る。が、松田聖子はなり得ない。それが松田聖子の存在性だが、それを理解出来になかった平岡はチョイ悪の評論家にしか成り得なかった。

2017年6月12日

山口百恵や中森明菜が、いずれも文学だというのは、彼女らは歌詞の歌手ということでもあり、その歌手性の歌詞からの意味的解釈が出来る。それに対して松田聖子の場合は、脱歌詞的な歌手であり、歌詞は、歌手の歌詞であり、歌詞よりも歌手が先行するのだ。

2017年6月14日

山口百恵は、純然たる、あるいは単なる歌手であり、だから歌手としての読解も、平岡がしたように適当に、つまり恣意的に出来る。山口百恵や中森明菜は歌手であるのに対して松田聖子は、歌手にして松田聖子なのであり、松田聖子であることは、歌手の外部性でもある。むろん本人は無自覚だろうが。

2017年6月14日

クラッシックに喩えるなら、山口百恵はモーツァルトで、松田聖子はワーグナー、中森明菜はブラームスだろうか。そして平岡正明は、アジテーターになりえなかった単なる評論家であり、松田聖子は、無自覚なアジテーターというところかもしれない。

２０１７年6月14日

相も変わらず、日本にはベンヤミン・マニアというか、研究者ヅラをしたベンヤミン・ファンが多い。そして何度も、ベンヤミン・ファン以外は、どうでもよかったり、お決まりのベンヤミンの絶賛や評価の論文形式の駄文が作られている。ベンヤミンについても、そろそろ本格的な批判が必要だろう。

２０１８年6月14日

マルクーゼ『理性と革命』は、岩波書店から刊行されたが、岩波は、これを文庫で刊行する気はないのだろうか。フランクフルト学派は１９７０代半ばにマルクーゼからアドルノへ重点が代わったが、マルクーゼはハイデガー学徒でもあり、アドルノにはない面白さが多分にあるのだが。

２０１８年6月14日

ユンガー『大理石の断崖の上で』も、岩波書店から刊行されたが、これも文庫で刊行する気はないのだろうか。ユンガーは、ヘッセ、マンに続くドイツの文豪であり、カフカ、ムージル、ブレヒト等と共に現代の独文学を代表する作家であり、まだまだ未紹介に近い状態にあるのは問題だ。

２０１８年6月14日

マルクーゼもユンガーも文庫にしていない岩波は、シュタイナーのニーチェ論は文庫にしている。訳者の高橋巌氏には、私が20代の頃、当時のイザラ書房社主の今泉道生氏を通じて世話になったこともあるので、こんなことを言うのも何だが、シュタイナーを出すくらいならユンガーやマルクーゼを出すべきだ。

資本主義においては、現実とは思想であり、思想ではない現実は、現実ですらないのかもしれない。思想の自由とは、自由に思想をして良いということではなく、資本主義においては現実は、思想としてしかありえないことの謂いだといえる。これは思想・文学・芸術等、あらゆる現実についてもいえる。

2018年6月14日

要するに、万物の根源としての資本主義ということであり、資本主義の原基体が商品であり、商品とは物神とすれば、万物の根源としての物神となる。そして物神とは、無の分泌としての存在の消失点でもある。消失点とは、分かりやすくいえば、存在の方からみればハリボテということでもある。

2018年6月15日

資本主義には不思議な逆説がある。つまり、資本主義は資本主義を終わらせるだろうが、反資本主義は資本主義を生き長らえさせるということだ。

2018年6月15日

人口知能というものは、人間が作ろうとしている地球外生物、エイリアンのようなものだろう。宇宙の彼方からやってこないので、自前で作り始めたわけだが、唯一の弱点は、製作者である人間が持つ遺伝子の構造から、存在論的にではなく、本質的に独立出来るのかというあたりにあるのでは。

2017年6月15日

何事につけ兆候というものがある。それは、何の変哲もない、ちょっとした変化だ。しかし、そ

2016年6月15日

れまで常にあったこととは少し違う。その違いの真相は分からないが、その、ほんのちょっとした違いは、やがて訪れる大きな変化の始まりを告げ知らせる兆候であったりする。

２０１９年6月15日

人間には、高を括るというメンタリティがある。たとえば、たいしたことはないだろうとか錯覚にすぎないだろう、というようなものだ。そのようなメンタリティにより兆候は、見過ごされたり否定されたりする。私もそのようなメンタリティで、政治でも恋愛でも少し手痛い目に遭ったことがある。

２０１９年6月16日

正論というものがあるとすれば、そこにはある種の空しさがつきまとう。というのも正論は、正しさを伝えるとしても、伝えるだけだからだ。正しくない現実に対して正論に接したとしても、何をどうすればいいのか正論は伝えない。なぜなら、それを伝えると正論なるものが崩れるからだ。

２０１９年6月16日

写真は真実を伝えるとか事実を端的に表すというような写真信仰のようなものがもっともらしくある。出来事や事件、事故などの写真がそんなふうに見られたりする。しかし、写真は、真実や事実を隠蔽し、人間に耐えられるような程度にしてしまうのだ。その意味で写真は中和剤にすぎないといえる。

２０１９年6月16日

私がいう神武革命論は、記紀に記された神武帝に基づく天皇擁立革命論と誤解しているむきが多いが、そうではなく、イワレヒコの初代天皇（大王）としての自称性の内実にある。すなわち天皇（大王）は前提でもなければ存在せず、未だ無いことの定在が元祖としての初代の内容なのだ。

要は、記紀においてイワレヒコとして記された人物は何者なのかということだ。天照大神の神勅を受けて天孫降臨したニニギ命の子孫というのは跡付けの話だろう。でなければ、なぜ大和ではなく九州の日向に居たのかということや、武装闘争によってしか大和に入れなかったことを問う必要がある。

２０２０年６月17日

ドゥルーズは、ヘーゲル的な否定の否定に対してニーチェを肯定の肯定だという。単なる肯定ではなく、肯定の肯定とはどういうことか。単なる肯定は、まだ無にすぎない。しかし肯定の肯定は、無にすぎないことから無になる、無が無以上のものになるのだ。これはイワレヒコの現実でもあろう。

２０２０年６月17日

■イスラムの神は、ある種の二重構造になっている

イスラムの神は、ある種の二重構造になっている。イスラムは、まず、この時空には神はいないと無神宣言をする。宇宙の何処にも神はいないというわけだが、では、その神の不在、無神という状態はどのようにして生まれたのか。そこで、神の不在を創った存在として、神の不在の外に神を求める。

２０２０年６月17日

神の不在が偶像崇拝の否定であり、神の不在の外としての神が「アラーの他に神はなし」ということになる。問題なのは、神の不在の外に、何らかの神的なものを求めても構わないが、それを「アラー」として実体化していることだ。これでは、時空内における神の不在という前提はお為ご

２０１６年６月16日

かしにならないか。

２０１６年６月16日

このあたりについては、イスラム神学研究の他に井筒俊彦や中田考その他の考察を読んでみたが、納得出来る解析も説明もない。この世の存在には、創造論と生成論が考えられ、神の不在についても創造と生成がいえる。創造には創造者が必要で、それが神なのだが、なぜ生成ではなく創造なのかがポイントだ。

２０１６年６月16日

これは、イスラムのいう、アラーの下での異なる宗教との共存についても、それは本質的なことではなく、恣意性を有するものでしかないという疑問を可能にする。ここでも、神の不在と、その外としてのアラーという構図が、異宗教の共存と、その外としてのアラーとしてあるからだ。

２０１６年６月16日

以前、中田考は「カリフ制はアナキズム」と言っていたが、私は違うと思う。カリフ制には、イスラムにおける神の不在のアラーによる創造説があるが、アナキ ズムは、神の不在の生成説（非あるいは反創造説）だからだ。だから神の不在を創造するアラーは不要であり、アナキズムの理論では存在しない。

２０１６年６月16日

すでに何度も言ったことだが、イスラム神学の前提には神の否定があるとか、カリフ制はアナキズムだというのは、方便とまではいわないが、論理的な結果としてそれに近いものとなるだろう。唯一の神をアラーと呼ぶ時、呼称崇拝が生じており、アナキズムはカリフ制をも否定するからだ。

２０１６年６月16日

一時期、宮台真司あたりが、アナキズムを小さな共同体のようなものだと述べていたが、全く違うのだ。アナキズムはそのような小国家の志向でも、小さな共同体を国家に換えるような構改的なものではない。カリフ制がどれほど独自のものであろうと、アナキズムはカリフ制の外になるだろう。

2016年6月16日

ユダヤ教やキリスト教、ヒンズー教その他に対してイスラムの神の特質は、あえていえば「神の神」たるところか。他の宗教が「神」をいうところにイスラムは「神の不在」をいうことで論理的に一段上になり、そしてその「神の不在」の創造者としてアラーをいう。従ってアラーは神ではなく、神の神なのだ。

2016年6月17日

しかし、神に対して「神の神」といったところで、屋上屋にすぎないだろう。もし屋上屋を回避せんとするならば、神の神は、生成の状態であり、そこにアラーというような創造者をいわないことだ。

2016年6月17日

私にはムスリムの友人も少なくないが、もし彼らがムスリムであるならば、私が述べたようなイスラムに対する観点は受容してくれるだろう。なぜなら、それがムスリムのそれたる所以でもあるからだ。

2016年6月17日

ムスリムにはアラーという底があるため無底ではないが、理論上、その底はどこまでも深く出来るからだ。

イスラムの思想的な面白さは、ムハンマド以来のコーランの原理的立場を堅持しつつ、どこまでムハンマド以降の世界に対抗し得るかということだろう。時の流れは構造改革を迫り、原理は喪失し、キリスト教の神は資本主義においては物神（商品）となったが、アラーは、そうした経過を否定する。

２０１６年６月17日

アラーが、神の現存在である物神（商品）を否定出来るのは、アラーは、神ではなく、神の神として、神の不在の創造者として物神（商品）の不在を創造するからだ。しかし、神の神であるアラーは、どのようにして、何処から生まれたのか。アラーは無根拠な自生的存在であり、預言者の無根拠な自己意識だ。

２０１６年６月17日

記憶している限りでは倉橋由美子の小説で最初に読んだのは『パルタイ』であり、１９６８年闘争期の頃だった。作家に関心があったわけではなく、そのタイトルから手にしたと思うが、その後、『夢の浮橋』『暗い旅』『妖女のように』『夢の中の街』等々、１９８０年頃まで結構読んでいた。

２０１６年６月17日

『大失敗』誌の創刊号に、しげのかいりの「金井美恵子論」があるが、金井美恵子の『夢の時間』や『愛の生活』その他を読んだのも１９７０年代から８０年代にかけての頃であり、この頃は、原田康子の『病める丘』『挽歌』に至るまで、どういうわけか女性作家の小説をよく読んでいた記憶がある。

２０１９年６月17日

他にも、高樹のぶ子『その細き道』『波光きらめく果て』、芝木好子『黄色い皇帝』から円地文子

『食卓のない家』、大庭みな子『三匹の蟹』その他、記憶をたどると、芋づる式に読んだ女性作家と作品が記憶の印画紙に刻まれていることが分る。

2019年6月17日

丁寧に書き込まれているが、何も書かれていないような小説がある。例えば、激しく雨が降っていて、雨の降り具合から、雨が心の襞にまで及ぼす影響について細かく、また見事な描写がなされているが、それ自体としては何事もなく、ただ雨が降っているにすぎないという現実だ。小説の妙味かもしれない。

2019年6月18日

津村喬が亡くなった。津村とは、『図書新聞』紙の若い世代の思想家をとりあげた連載記事に共に取り上げられたことがあり（私が最年少で最終回だった）、また松田政男編集の『映画批評』誌に席を並べて文章を書いていた。（**＊252頁参照**）

2020年6月20日

母の日と比べると父の日は影が薄い。これは家庭における父の存在性を示している。家庭とは、母と子が形成するものであり、常に父は半ば不在だ。

2020年6月21日

1948年～1950年あたりの生まれで、学生時代に何の政治活動歴もなく、その後、大学教員となり、一端の左翼的な見識を示し、バタイユだとかフーコーを援用したりしている人間は、個人的に、その者の人格はどうであれ、ある意味で最も信用出来ない人間になるだろう。

2014年8月31日

レッシングは『ラオコオン』（岩波文庫）で、絵画などの視覚的な空間芸術と文学などの時間芸術を区別したが、映像は視覚的な空間性を持つが同時に文学と同じく時間性を持つ。小説と映画を比較した場合、視覚が文章からの想起になる小説に比べ、時間を可視的な像とする映画の特徴は、その像の絵柄にある。

２０２０年６月23日

絵画や写真と比べると映画の絵面は、時間性を持ち、絵面そのものが動き、映画と比べると絵画や写真の動かない絵面は文学的になる。一瞬を捉えるといわれる写真の一瞬は、他の瞬間に対する文学になっており、他の瞬間を想起させる。それに比べると映像は不足を含め堪能させるかどうかが勝負になる。

２０２０年６月23日

ファシズムとポピュリズムを混同する立場は、権力主義と出世主義の違いが分からないようなものだ。権力主義と出世主義は、理念型的にはヘゲモニーの在所において対極的であり、敵対的でさえある。

２０２０年６月23日

護憲なのに反天皇という立場があるが、これは矛盾ではないのか。戦後憲法と戦後の天皇制は一体だろう。だから護憲なら天皇制肯定となり、天皇制を否定するなら、その路線での改憲を志向するしかないだろう。それとも護憲で反天皇という立場は、その矛盾を踏まえ、それを堅持しているのか。

２０１９年６月23日

逆に改憲的立場は、戦後の天皇制として存在している天皇制の存在論的な否定を踏まえなければならない。存在論的な否定とは、戦後の天皇制を改憲派が志向する天皇制へと改変するためには、文字通り戦後の天皇として存在する天皇制そのものを否定しなければならないということだ。

２０１９年６月23日日

左翼といえばファシズムについては、依然としてコミンテルンのファシズム批判の延長のような批判を展開しているが、その中で異彩を放つのは、マルクス主義者であり、物象化論を展開した廣松渉だろう。（『思想としてのファシズ』所収）

２０２０年６月23日

ストリッパーの用心棒その他、革命的バクーニン主義者としては色んな事をしたが、20代の頃にはテキ屋のバイトをやり、夜の銀座でホタルを売ったことがあった。ところが地回りのヤクザから何か言われた時、その筋に話を通してあるという親分の名前を忘れ冷や汗をかいた。

２０１６年６月21日

夢は別の夢を引用するのだろうか。数日前に見た夢だが、夢の中ではまだ若く、新しい生活をする家を探しているのだが、その時に思い浮かべている家が、一年ほど前の夢に出てきた家であり、その家の間取りや光景がほぼ同じだった。

２０２０年６月25日

革命に対するマルクスとバクーニンの違いは、前者の哲学批判の哲学性と、後者の神学批判の神学性とでもいえようか。だからマルクスは物神の解析を行い、バクーニンは魔王の宣布を行った。両者は対立したが、革命にとって両者は共輪だろう。

２０１７年６月25日

この約20年近くの隠遁で、いわば人生を棒に振ったことになるが、しかし、人生を棒に振ることも意外に面白い。自分を他人事のように見ることが出来るからだ。

近代の神学の不思議さは、神学の理論的当事者は、神をどう思っているかだ。神学者だから神を信じているだろうと単純にいうことは出来ない。神を信じているなら神学理論など不要ともいえるからだ。全ての神学理論は、反神学や神の否定を含意し、それを超克しようとするが、そこには確信犯の匂いがある。

２０１３年６月24日

１９７０年代前半、平岡正明、竹中労、太田竜が、ゲバリスタの三馬鹿トリオといわれていた。当時22歳の若造だった私は、平岡については彼の犯罪革命論を『映画批評』で批判したことがあり、太田については、ちょっとした個人的冷戦関係になり、竹中とは彼の自宅で会っただけだったことを覚えている。

２０１７年６月25日

日本の新左翼は、実存的には「世界革命」派だったが、構造的には「ナショナリスト」だった。その点では華青闘（華僑青年闘争委員会）の告発は正しい。しかし、それを日本の新左翼の実存的現実として批判したところに華青闘告発の限界と構造的な誤謬がある。そして告発を鏡に映せば、華青闘告発は彼らに跳ね返るだろう。

２０２０年６月25日

ほとんどの人は、イギリスやフランス、ドイツ、イタリア、スペインといった国があり、イギリス人やフランス人、ドイツ人等がいると思っている。しかし、本当にそのような国や人間はいるのか。なぜスコットランドやカタルーニャの独立が問題になっているのか。それは何を意味するのか。

２０１７年６月25日

２０２０年６月25日

例えばスペインの場合、スペインは長い間、ヨーロッパではなくアフリカの一部と見られてきた。長い間、イスラムの後ウマイヤ朝の地だったからだが、イスラム圏だったことはこの地にどのような影響を及ぼしたのか。イスラムに対してレコンキスタが展開されるが、その失地回復の内実は何なのか。

２０２０年６月25日

政治的にはマルクスは左翼で、ユンガーは右翼とされるが、マルクスの『資本論』とユンガーの『労働者』は、対応的に読むことが出来る。商品が技術になり、階級が形態になるのは、マルクスとユンガーの間にニーチェとニヒリズムの問題が介在するからだろう。

２０２０年６月25日

日本の右翼は、天皇信奉とナショナリズムの二本立てだが、天皇信奉はロイヤリズムであり、ナショナリズムは共和制ではないのか。つまり、天皇制（皇室制度）とナショナリズムは両立しないということだ。近代日本の家族国家論は、この矛盾を親子関係に仮託してのり越えようとするものだった。

２０１８年６月25日

じっと遠くを見ている猫の姿を見ることがある。近くを見ている場合は、その猫の活動範囲に関係したり、目の前で関心を誘う何かを見ているのだが、遠くを見ている場合、その猫は何を見ているのだろうか。ただ、そこでそのようにして佇んでいると空気が気持ち良いだけなのだろうか。

２０２０年６月25日

パスカルによれば、人間の不幸は、人間が部屋の中でじっとしていればいいものを、そうできず、外出してしまうことから生まれるらしい。そういう人間をパスカルはみじめだと言う。

かつての福岡の玄洋社の頭山満は、一人でも寂しくない人間になれ、と言ったが、この言葉も退屈論と絡めると面白い。

２０１３年６月24日

ショーペンハウアーは、退屈は人間の最大の地獄だと言ったが、退屈には否定的に見る立場が多い。しかし、私は退屈は嫌いではなく、むしろ時間が充実する時だと思う。退屈の中にいると、静けさが聞こえてくるからだ。

２０１３年６月24日

カール・バルトの『教会教義学』（新教出版社）におけるユダ論を読んだ時、そこでのユダの義認論の内実は、自分の他者になることだと思った。ユダとはユダになったイエスなのだろうと。そうすれば、ユダの行為はイエス自身のものとなる。むろん実際のユダは別にいてイエスに対しており、ニーチェのテーマはこれだと思う。

２０１３年６月25日

■他者論の他者であることが他者

バルトのユダ論と、蓮田善明の解釈した『古今和歌集』の歌の失恋歌的性格は、他者論として読める。むろん注意しなければならないのは、他者論と他者は別だということだ。つまり、他者論の他者であることが他者なのだから。

２０１３年６月25日

反戦という言葉があり運動がある。それに対して「受験戦争」その他の「〇〇戦争」という言葉が溢れている。反戦ならば、なぜ「受験反戦」ではないのか。受験戦争の戦争とは象徴的な意味だという答えがあるかもしれない。しかし、なぜ戦争なのかを考えるべきだ。全てが戦争（総動員）である現実を。

2017年6月27日

戦争期の「近代の超克」という問題は、近代を超えることではなく、近代を超えるという意識や意志によって、近代のヘゲモニーを掌握しようということだったと思われる。だから、近代の超克と、ポストモダンとは似て非なるものとなる。ポストモダンは、近代の超克にとっては、敵の近代だからだ。

2017年6月27日

観念論とはどういうものか。それは簡単にいえば自分には全てが分かるという立場だ。森羅万象が自分の中で観念化されるわけだが、観念論の最初の障害は目の前の他者だ。個には性があることを考えれば、同性の他者よりも異性の他者だろう。異性の他者に対して観念論はどれほどであろうと本質的に無力だ。

2017年6月27日

異性の他者を理解しようとするツールとして性行為がある。性行為は、非生物的には、自我を他者に自己喪失させようとすることであり、相互に自己喪失することで共通の状態になろうとする。そして共通の状態を相互理解の内容とする。しかし、それは最大限公約数的なもので自己の最小公倍数は含まれない。

2017年6月27日

五・一五事件の首謀者の一人とされる三上卓は、1968年闘争期の頃に「青年日本の歌（昭和維新の歌）」の作詞者として知っており、8年ほど前に江面弘也による三上の評伝『「青年日本の歌」

をうたう者』等を読んだことがあるが、小山俊樹『五・一五事件』(中公新書) を読む。五・一五事件後の戦争期の東條暗殺未遂から戦後の三上の足跡も興味深い。

２０２０年6月28日

五・一五事件は、二・二六事件と比べると研究は少なく、映画でも新東宝の『陸軍流血史』くらいか。二・二六事件と異なり関係者のその後の動向、三上卓なら、戦争後半期の未遂に終わった東條暗殺から、血盟団の生き残りの四元《よつもと》義隆や厚木航空隊司令の小園安名大佐その他との関係や戦後の足跡も興味深い。

２０２０年6月28日

個人的なことをいえば、20歳だった私が東京の世田谷区の駒澤公園近くのアパートで１９６８年闘争と70年安保の総括をしていた１９７０年の暮れに、三上は橘孝三郎と共に佐賀にある三上らに影響を与えた藤井斉の墓に詣でている。歴史的人物と同じ時を生きていたという感じは不思議なものだ。

２０２０年6月28日

ちなみに三上卓の妻の三上わかは、旧姓は宇都宮で、宇都宮太郎大将の姪で、鍋島藩の宇都宮氏の流れを汲むが、そのルーツは、戦国期の柳川城主で12万石を領した蒲池氏の家老職にあった蒲池鎮久になる。鎮久の弟で塩塚城を預かっていた蒲池鎮安(統安)の子孫が歌手の松田聖子(蒲池法子)になる。

２０２０年6月28日

山本文史『日英開戦への道――イギリスのシンガポール戦略と日本の南進策の真実』(中央公論新社)を読む。シンガポール攻略戦を巡る史的経緯を丹念に追跡したものだが、日本の陸軍と海軍、陸軍では参謀本部と陸軍省、海軍では軍令部と連合艦隊が、それぞれ独自の（つまりバラバラな）戦争計画を持っていたことが分る。

2020年6月29日

しかも陸軍も海軍も対米英戦など本気でやる気などなし。また東條は、対米英戦の阻止のため総理になり、その意志だった。イギリスは欧州戦域で手一杯。アメリカもやる気なし。それがどうしてアジアと太平洋での大戦争に至ったか。歴史を作る原因の多層な重なりとある点での接触と発火はなし崩しなのか。

2020年6月29日

物心ついた時から、生の向こう側にある死は、一番、関心のある対象であり、当時はいつも、そしてその後も、死について考えている。死について考えるとは存在論的に考えることになるが、しかし、全てを清算し、何事も元から無かったことにする死の事実は、実に不思議だ。

2020年6月30日

◇7月 近代思想は差別そのものである

■中国が大国になりたいのなら

中国は何を焦っているのか。つまらん法律を作るよりも一国二制度を額面通りに肯定しておればいい。中国が大国になりたいのなら力で抑えつけるのではなく、中国に対する尊敬心を培養する必要がある。そのためには批判や否定に慣れることだ。党の独裁と現実批判が両立することを中国は示すべきだろう。

2020年7月1日

香港の一国二制度の現実を否定するような法律を作り、実質的に香港を併合状態にしたことは中国にとっては大きなマイナスだろう。これにより中国は、抑圧的な国であると同時に約束を守らない国になったからだ。図体だけが大きい粗暴な小心の国家というイメージが強まろう。

2020年7月1日

四元義隆といえば井上日召の血盟団の一員であり、戦後は政界の黒幕にして歴代総理の影の指南役としても知られていた。その四元の同郷の同志に重信末夫がいた。日本赤軍のリーダーの重信房子の父親だ。彼は日本赤軍リーダーとしての娘の活動を信じ、重信末夫の同志だった四元義隆は、重信房子を捕らえた権力や警察に対して、彼女をきちんと戦士として処遇せよと言ったらしい。

如何なることにせよ、何らかの状態の肯定には、権威による正統化か、実力による事実化しかない。中国が、香港問題で力づくになっているのは、中国には清以来、権威がなく権力オンリーだからだ。そして力づくであることが恐れるのは、弱腰と失政になる。

２０２０年７月１日

人間は、自身が経験したものによってしか生きてはゆけないのだろう。つまり、真や正や美と無縁の時代に生き、その無縁さの経験しかないとすれば、いかにその者にとっては切実で究極であろうと、そこには真も正も美もない。ありていにいえば、現在にあるのは、このような時代的現実の体験だ。

２０２０年７月２日

人間が過去に目を向けなければならない理由もここにある。なぜなら、時代には深度があり、均等な時間ではなく、また、過去こそ、未知の現実体験の場だからだ。それゆえ、現在の現実にのみ関心を寄せる立場は、どれほど真摯でラジカルであろうと、それ自体が、上げ底であったりするのだ。

２０１７年７月２日

どのような高邁な理想がアドバルーンのように掲げられようと、現実は、意外と身も蓋もないようなことから始まっていたりする。いうまでもなく、現実というものは、その「現」の「場」に立てば、卑近でシビアなものだからだ。例えば大東亜戦争と呼ばれた戦争も、発端は陸軍と海軍の予算獲得行為にある。

２０１７年７月２日

どのような理想も、現場は卑近でシビアだからだとしても、それはいささかも批判の内容にはならない。それは、『新約聖書』に記されていところの郷里で奇跡を起こせなかったイエスの現実と同じだ。だから高邁なものの野卑さを暴き、それを批判だと思いこんでいる立場には、アホかと苦笑せざるをえない。

２０１７年７月２日

香港の問題だが、しばらくは中国の暴圧に対する批判や抗議の声が続くだろうが、中国が香港に対して「パンとサーカス」的なものを与え、経済的に活発にさせると、そうした声は注目されなくなるのではないか。現在は、思想も政治も生活も経済で〝買収〟出来る時代だからだ。

２０２０年７月３日

アメリカで展開されている人種差別に対する否定の動きだが、アメリカの過去の〝偉人〟やシンボル等が、それに関連したものとして否定されたり撤去されたりしている。ところでこの動きがさらに展開され、行くところまで行けば、理論的にはアメリカという国家そのものが否定されることになるだろう。

２０２０年７月３日

経済が持つ政治性とは何かといえば、既成事実だろう。法的には違法であっても、当面は仕方がないというような状態にするのが経済だ。これは経済力がある存在がやれば否定的になり、経済力のない存在がやれば肯定される場合もある。

２０２０年７月３日

戦後のフランス思想や現代思想の端緒となったサルトルの実存主義や、それに続くレヴィ＝ストロースの構造主義は、極めてフランス的にものであり、フランス以外では隣国のドイツでさえ思想となることはない。それらはフランス以外では思想趣味にすぎないだろう。日本においても。

2018年7月4日

思想の問題とは何かといえば、端的には、他者論だ。仮にヘーゲルで近代思想が完成したとすれば、ヘーゲル以降の思想課題は他者論となり、マルクスの経済、フロイトの性、ニーチェの力は、その発端だった。存在論も認識論も言語論も全て他者論的なものとなるが、問題は他者の他者性の容認の有無にある。

2017年7月4日

思想は、他者的素材としては、自然から社会、歴史、国家、宇宙など、時間や空間その他、全てを対象とするが、その最も身近な問題は何かというと、個としての自分に対する他者、端的には異性との関係の対他問題となる（同性の他者は、同性としては自分の延長となり、他者としては〝異性〟となる）。

2017年7月4日

他者論で重要なことは、不可知な他者を、認識や理解によって可知化することではなく、認識や理解の不可能性、つまりその不可知性を肯定し、受容することにある。異性との関係においても、相手を理解することの本質的な不可能性を知り、それによる結論の出ない関係を肯定し、受容することだ。

2017年7月4日

関係とは、関係性が解決しないから関係なのであり、他者が不可知だから関係が成立する。つまり、自分の外に理解や認識の向こうにいる不可知な他者が存在することにより関係が成立する。これが現実であり、現実としての他者を理解や認識したならば（それは他者論では妄想だが）、現実は自慰となる。

2017年7月4日

■「銀座」は、銀本位制の大坂にあった

東京の繁華街のトップといえば銀座といわれるが、銀座は元は大坂にあった。近世では、江戸は金本位制で「金座」があり、「銀座」は、銀本位制の大坂にあった。徳川家康が江戸に移る時、大坂の銀座に関連した人間を引き連れたことから東京に銀座という地名の場所が出来たわけだ。銀座に近い佃も同じである。

2020年7月5日

通称「関西」の正式名称は「近畿」だが、近畿とは、「畿（都）の近く」ということで、大化改新の時に定められたとされる「畿内」に由来し、意味は今風にいえば「首都圏」。明治期に首都を東京にしようとしたことから関東地方を近畿地方に改称する動きがあったが、歴史的にそれは無理だった。

2020年7月5日

だからどうなんだと言われれば、どうということもないが、事実は知っていても損にはならないだろう。江戸の「かっぽれ」という俗謡に合わせた踊りのルーツは、大阪の住吉大社の「住吉踊り」にあるといわれ、毎年、住吉祭の時に、東京のかっぽれの組合からの奉納がある。

2020年7月5日

１９７０年代といえば、前半は１９６８年闘争の戦争直後的でもある戦後的内戦期であり、後半は内戦の思想的反省期ともいえるが、そのような１９７０年代については内ゲバや連赤事件等が否定的に語られるだけで、その戦後的内戦期の思想や運動についての史的考察はまだ存在しない。現

在への架橋はここにあるのだが。

2019年7月5日

全ての差別を無くすためには、絶対的な差別が必要になる。それは、「全てを疑う」ためには、「全てを疑う」ことそのものを疑ってはならないのと同じ構造だ。近代のアジアにおける日本の位置と在り方はそのようなものだ。

2019年7月5日

日本を覇道だと批判し、王道を主張した孫文の誤りはここにある。物事を自力でやる場合には覇道しかなく、王道は支援され、支えられて可能となる。孫文は革命運動において日本に支援を求めることが出来たが、日本を支援する存在はアジアにはなく、日本は自力の覇道しか選択肢がなかった。

2019年7月5日

かつて高島善哉門下のマルクス経済学者の平田清明は、『市民社会と社会主義』（岩波書店）において私的所有とは異なる個体的所有について述べていたが、これはネグリが『コモンウェルス』（NHKブックス）でいう公的なものと異なる共的なものというのと思想的意味合いは近いだろう。いずれも願望でしかない点において。

2018年7月5日

分からないものは分からない。従って、分からないものについては語ることは出来ない。しかし、人間は、分からないものに直面しつつ、いずれは分からない状態になる。この分からない状態とは何か。それは、分からないということなのか、それとも、そのような状態であることなのか。

2018年7月5日

都知事選でレイシスト候補がある程度の票を得たが、それを外在的に批判しても嫌悪感にしかならずで批判にはならない。レイシスト票となった要望の構造的な内容が普遍的な立場の何処に、どのような否定的回路を持っているのか。倫理的な批判ではなく「盗人にも三分の理」の三分の内実の解析が必要だろう。

２０２０年７月６日

マルクス主義者やマルクス研究者には今もってマルクスの思想とスターリン主義を別のものとする観点がある。しかしバクーニンが喝破したようにマルクスの思想にはスターリン主義の可能性があり、これを問題としないかぎり、マルクス思想の肯定者はスターリン主義の無自覚な手先となってしまっている。

２０２０年７月８日

ただ留意しなければならないのは、バクーニンのマルクス批判は、自由主義の共産主義批判とは違うことだ。バクーニンはマルクスにおける知による指導性の観点を観念独裁だと批判し、指導的ではない知の在り方を問うた。だから勝田吉太郎の『近代ロシア政治思想史』におけるバクーニン論はバクーニンの自由主義への悪利用でしかない。

２０２０年７月８日

陳独秀、孫文、蒋介石、汪精衛さらには袁世凱に至るまで、中国近代に関係した人物たちや中国の国民党や共産党についての書籍を再読している。中国には魏晋《ぎしん》南北朝の頃に萌芽的に見られたものの封建制はなかったとする説があるが、近代中国の問題は、封建的現実と近代的意識の同時性と確執にある。

２０２０年７月９日

昔、埴谷雄高が、見たいと思う夢を見ることは出来ないのかと、あれこれ眠る前の意識操作の実験をしていたことをエッセイにしていたが、夢は、まず、続きを見ることが出来ない。どの夢も単発であり、次に埴谷も考えたように、見たいと思う夢が見られないが、そこにこそ夢の場があるのだろう。

2019年7月9日

夢といえばフロイトだが、私はドイツ・ロマン派のノヴァーリスやシューベルト、さらには『冒険心』の頃のユンガーを思いだす。シュルレアリストのブルトンもいるが、若い頃、ダダイズムに浸った私は、ブルトンには批判的でもあるので、彼は枠外（笑）。

2019年7月9日

フロイトの夢に関する理論についてはマルクーゼの考察が印象的であり、フロイトと袂を分かったユングについてはオカルトだと思う。よくいえば、フロイトが哲学的ならユングは文学的とでもいえようか。

2019年7月9日

グローバリズムについては既に多くのことが語られているが、しかし、グローバルとインターナショナルの区別つまり違いが分からず、中には混同しているものも少なくない。例えば、山之内靖・酒井直樹編『総力戦体制からグロバリゼーションへ』（平凡社）におけるグローバル化の把握にもそれが見られる。

2019年7月9日

インターナショナルとグローバルは、同じものでも近似的でもなく、対立的なものなのであり、グローバルとはインターナショナルの否定でもある。だからナショナルな要素では、東浩紀も錯覚しているが、グローバルに対抗することも批判することも出来ない。

Nationalsozialismusとはナチスの立場だが、これを「国家社会主義」と訳すのは誤訳とはいわないが適切だとは思わない。ナチスにとって国家は党により指導される機関にすぎず、またラッサールの国家社会主義との違いも曖昧となる。やはり「国民社会主義」と訳すべきだろう。

２０１９年７月９日

ドイツでは、ネオナチと極右は、別の範疇とされている。というのも、非ナチ的、反ナチ的な極右、アルミン・モーラーのいう戦間期の国民革命派や青年保守派の流れを汲む、Ｏ・シュッデコップのいう国民ボルシェヴィキ系の極右が存在するからだ。これらの極右には三島由紀夫を高く評価している者も少なくない。

２０１７年７月９日

政治でも戦争や革命でも何でも構わないが、同じ出来事を、歴史的に見る場合と、思想的に見る場合とでは何が基本的に異なるのか。あえていえば、歴史的に見る場合は、何があったのかという事実の追求とすれば、思想的に見る場合は、何になり得るかという可能性の追求ともいえよう。

２０１７年７月９日

自由とは、何事も自由に出来るというように解されているが、では、なぜ、何事も自由に出来るのか。それは、実は、何事もこれだと決められないことに基づく。そして何事もこれだと決められないのは資本主義の本質でもある。資本主義の現在はそれを全面化することにより、既得権が固定化されつつある。

２０２０年７月９日

資本主義の強さはその超越の不可能性にある。資本主義には外部がないのだ。かつては社会主義

２０１６年７月１０日

が資本主義の外部として構想されたが、現実のそれらは資本主義の内部でしかなかった。資本主義の秘密は資本主義の「超越」こそが資本主義の本質である処にあり、『資本論』が示すように物神としての神だ。

２０１８年７月８日

バクーニンがその無神論や自由論で主張するところの神に対する悪魔とは、バクーニン自身の考えはどうであれ、そこにはマルクスが商品についていう物神の対自態を読むことが出来る。つまり、それが資本主義の物神的な存在論の消失点ということだ。

２０１８年７月８日

■資本主義こそが最大の全体主義だ

ハンナ・アーレントの全体主義論は、確実に古いだろう。現時点では、資本主義こそが最大の全体主義だ。資本主義は、商品の全体主義であり、物神の全体主義であり、交換の全体主義であり、自由の全体主義だ。それは内容ではなく様式の全体主義であるため全体主義が見えなくなっている。

２０１８年７月８日

ファシズムに対する批判は当然のように無数にある。しかし、それらの大半は、いってみれば外在的な批判であり内在的な批判ではない。つまりファシズムの悪を抽出して批判するばかりであり、ファシズムが出現し、後発資本主義国において国是になった歴史的根拠が解明されておらず、批判にならない。

２０２０年７月12日

スターリン主義の温床はボルシェヴィズムなのか、それとも双方は別物で、スターリン主義はその歪曲にすぎないのか。スターリン主義を批判する場合、このことは執拗に精査する必要がある。

なぜならスターリン主義は突然に降って湧いたものではないからだ。スターリン主義も内在的な批判が必要である。

2020年7月12日

資本主義が、富裕層の一人勝ち的な経済的選民主義と化しつつある現在、資本主義批判として社会主義が再注目されようとしているかに見えるが、しかし、当の社会主義は、その思想的独裁による否定的な問題を何ら解決していない。単にマルクスに戻れ式の掛け声ほど無責任なものもないだろう。

2020年7月12日

日本の仏教は、インドや中国とは違うと中学生の頃に漠然と感じていた。その頃に読んだ『龍樹』の伝記から知った仏教と、身の回りのお盆や葬式などの行事の落差によるが、その後、漠然と仏教以外の民間信仰が日本の仏教には入り込んでいると思うようになった。久しぶりに五来重《しげる》『日本の庶民仏教』（講談社学術文庫）を読む。

2020年7月12日

日本仏教における民間信仰の問題に関心を抱いたのは、関西に多い行基関連の事象や空也など聖僧や、専修念仏に対する融通念仏の問題からだった。これらは左翼でいえば、ボルシェヴィズムや社民主義、構造改革主義といった理論的教義派に対して広義のアナキズム的な性格を有していたといえる。

2020年7月12日

むろんアナキズムだから非理論的であったり反教義的なわけではない。それでは単に理論的教義のアンチにしかならない問題があるからだ。だから良忍《りょにん》の融通念仏は、その後に融観大通により融通念仏宗となり、融通念仏者だった一遍の時衆もまた時宗となる。宗派となることで新たな問題も当然生じるが。

2020年7月12日

中国は、共産党の一党支配下で資本主義経済路線を走っている。それゆえこれはスターリン主義ではない。では何か。歴史に相似的なものを見つけるならばファシズムだろう。中国ではかつては国民党がこのような党独裁下の資本主義を志向したが、その意味では共産党と国民党は異母兄弟のような党だ。

2020年7月12日

辛亥革命以後の中国のテーマは、清朝末期の地方勢力的な封建制一掃の国民革命だった。しかし孫文以下の革命派に武力がなく、それを持っていた袁世凱に革命の成果を譲る。今の中国の共産党の一党体制も、この延長にある。中国は今なお群雄割拠の封建制を一掃出来ておらず、独裁で抑えているだけだ。

2020年7月13日

封建制を一掃した国民国家を形成する国民革命のためには、封建的な群雄割拠を制圧する強固な独裁的力が必要だが、国民国家は独裁を否定して確立される。その意味では、それが絶対王政だろうとファシズム、スターリン主義その他何であれ、またその期間の長さに関係なく、独裁は過渡的なものだろう。

2020年7月13日

大陸時代の国民党において蒋介石は武力を掌握し、北伐などで地方に割拠する軍閥を一掃しようとした。蒋介石は国民党において唯一、軍事力を保持したが、これは袁世凱の問題に対する対応的な総括の結果だろう。軍事の蒋介石に対し、国民党の政治は左派の汪精衛にあったが、左派は武力を持たなかった。

2020年7月13日

国民党は孫文の頃から国共合作で、人材確保のため共産党の個人的入党を党是としていた。しかし蒋介石は共産党を敵視し、汪精衛らの国民党左派は蒋介石と対抗するため労働者を組織しつつある陳独秀らの共産党と連帯することになる。蒋介石と陳独秀の中間派の汪精衛は、後に親日政権を担うことになる。

2020年7月13日

蒋介石は、共産党と軍閥を一掃し、国民国家としての中国を志向していたが、日本と戦う気はなかった。満州に侵攻した日本に対しても蒋介石は事実上許諾していた。だから関東軍のアホな某が華北分離工作などで華北に侵攻したり、対中戦などをしなければ日本は失うものはなく、戦争にも至らなかった（笑）。

2020年7月13日

日本は、随神の道の国だとして、随神の道とは、要するに、成行き任せであり、成るように成るというもので、悪くいえば丸投げ、哲学っぽくいえば生成論のようなものか。日本は、基本的に一切が万事、随神の道のようなところがあり、今問題のコロナにしても例外ではないようだ。

2020年7月13日

私が生まれて初めて受けた大学教授の哲学の講義は矢内原伊作だった。1970年に安保闘争で東京へ来たが、その頃、御茶ノ水で暇な時間があり、近くにあった中央大の教室で矢内原の講義があったのだ。題目はサルトルの『存在と無』だったが、矢内原は少し前に読んだという中里介山

『大菩薩峠』の話に終始していた。

2020年7月14日

今は、大学はシラバスがあり、それに即して講義も行われるが、1970年頃はそうではなく講義の内容は教授の自由で、いわば何でもありで、その自由さが、高校とは違い大学らしいと思われた。また私はモグリで矢内原の講義を聴いたのだが、当時は、モグリは事実上、黙認状態で、これも大学らしい気がした。

2020年7月14日

1973年頃には、法政大に彼女が出来、よく出かけた。当時の法政は、まだ学生会館は学生の管理下にあり、また中核派の拠点だった。ある大教室の講義を覗くと、後ろの席に机に化粧品を並べて化粧をしていた女子学生がおり、訊くと、夜に銀座のクラブに仕事で行くとのこと。これも大学らしい気がした（笑）。

2020年7月14日

1968年闘争に対しては様々な視点がある。政治的視点、社会的視点、文化的視点等々。しかしあの運動が日本において歴史的に何であったのかという歴史的視点はあまりないように思う（左翼史ではなく日本史として）。というのも私はこの運動への歴史的視点を強調しているのでそう思うのかもしれないが。

2020年7月14日

玄洋社の頭目の頭山満に「一人でいても寂しくない人間になれ」という言葉があり、コロナへの一般的対応に相応しいと冗談で言うと説得力がないと言われた。当時の警察も手が出せなかった隠然たる力を持っていた頭山は常に多くの人に囲まれ、一人になることなど無いに等しかったからしい（笑）。

２０２０年７月14日

１９８０年頃、主婦の友社が何と『ギャルズライフ』という不良少女雑誌を出しており、知り合いがその編集部にいた。その頃、新宿一丁目にあった会社の社長をしていた私の秘書が新宿界隈の暴走族のレディースの何代目かの元リーダーで、彼はよく取材に来ていた。この雑誌は、主婦の友社では黒雑誌になるのか。

２０２０年７月14日

世間的に名の知れた人ではなく、ごく普通の無名の人が死ぬと、その人が生きた現実は忘れられ、無かったことになる。しばらくはその人を知る人の記憶の中に幾ばくかのものが残るだろうが、その人を知る人が全て死ぬと、その人は事実上、いなかったことになる。

２０１８年７月14日

伊東静雄と蓮田善明――私の居住地区界隈は、完全な住宅地であるため、普段でもかなり静かな所だが、夏の正午あたりだと、暑さに何もかもが息を潜めているのか、真昼の静寂さに包まれる。

（＊２５４頁参照）

２０２０年７月14日

池田浩士氏とナチス・ドイツ文学の界隈――柏書房から２００１年に一冊だけ出たままの、池田浩士編訳の「『ドイツの運命』――ドイツ・ナチズム文学集成」は当初は田畑書店から刊行される予定であった。（＊２５６頁参照）

２０２０年７月14日

マルクスのフォイエルバッハ・テーゼに、これまでは世界を解釈してきただけだが、これからは変革する必要があるという文言がある。これは思想に対する実践の志向のように解されているが、ならばこの文言は実につまらない。思想とは、実践に対する単なる思考ではなく、それ自身が実践を内包するからだ。

2020年7月15日

カントにおいては、認識と実践は別だった。それはカントの立場が対称的だからだが、フィヒテ以降、認識と実践の統合が図られ、ヘーゲルにおいては認識と実践の一体として思想が確立される。マルクスはその思想の観念性を、現実把握の思想へと改変し、思想の思想化として現実を把握することになる。

2020年7月15日

人は立場に応じた正しい理屈、もっともな論理、筋の通った正論を志向したり求める。思想に従事する者なら、そうでないと批判に反論が出来ないからだ。しかし、そのような、もっともで筋の通ったまともな思想で変革が出来るのだろうか。むしろ矛盾を孕んだ思想の矛盾にしか可能性はないのではないか。

2020年7月15日

あえていえば、思想そのものの構造的なグローバル化だ。グローバル化とは地球の商品による内閉化とすれば、思想の展開の構造や論理そのものもグローバル化されているのではないか。そうであれば思想は、まともな正論である限り外を持つこともなく、出ることも出来ない。

2020年7月15日

ニーチェはグローバル化に該当する事態をニヒリズムとして捉えた。ニヒリズムとは超越的な外の消滅（神の死）だ。ニーチェは論理を心理と読み替えることで、まっとうな正論を突破しようとした。問題は、心理で論理が越えられるかということだ。心理は論理の単なる生理にすぎないのではないか。

２０２０年７月15日

中国は、何かと批判されると、それは内政干渉だと反論する。中国は、他国の内政干渉を否定するが、しかし、中国の香港に対する立場は、香港が一国二制度の状態にあるかぎり内政干渉になるのではないか。なぜなら二制度である限り、香港は、制度的には「外国」だからだ。

２０２０年７月15日

東方会のエピソードの一つに「米機撃滅、英機撃滅」というポスターの話がある。特高は、この「英機撃滅」とは東條英機のことではないかと詰問したらしいが、東方会は平然とイギリス機だと言ったらしい。しかし、米機はともかく英機は日本空襲に来たのだろうか。（＊２５７頁参照）

２０２０年７月17日

台風なのでトリスタン・ツァラ論読む（大平具彦の『トリスタン・ツァラ――言葉の四次元への越境者』）。トリスタン・ツァラの「ダダ宣言１９１８年」の中に「我々に必要なのは、強靱で、直截で、的確で、かつ永久に理解されることのない作品である」とあるが、ツァラがいうこのような作品こそ、文字通り物理力を持つのだろう。

２０２０年７月17日

深甚な政治思想は、固有の矛盾を内包している。根底にある思想への動機と、直面する政治の現実やその打開論との間の矛盾だ。この矛盾のない政治への視点は、凡庸なヒューマニズムか、粗暴な非情主義に終始するだけだろう。

２０１６年７月16日

だから、思想の読解も、単に、何を言っているのかというだけではなく、それ以上に、どのような言い方をしているのか、その論理構造が重要になる。例えば反戦か好戦かということではなく、どのような論理の反戦であり好戦かということだ。論理によっては、反戦より好戦の方が反戦的であったりするのだ。

2016年7月16日

思想は、結論よりも論理の過程だろう。なぜなら結論は、それだけを取り出せば、総じて身も蓋もない代物が大半だからだ。

2016年7月16日

■スペイン革命とは何だったのか

久しぶりにF・ボルケナウ『スペインの戦場』（三一書房）を読む。オーウェル『カタロニア賛歌』（現代思潮社）と並ぶスペイン内戦の体験報告だ。ところでマルクス主義者はロシア革命ほどにはスペイン革命への注視度は少ない。それはスペイン革命の最大勢力が第一インターのバクーニン派の流れを汲むアナキストだったからか。

2020年7月19日

ジェラルド・ブレナン『スペインの迷路』（合同出版）によれば、第一インターのスペイン支部はバクーニン派により形成され、その後継のイベリア・アナキスト連盟（FAI）とその労働者組織のCNTがスペイン最大の革命勢力であり、スペインではマルクス主義はトロツキストもスターリニストの共産党も少数派だった。

2020年7月19日

FAI・CNTはアナキストといえど大組織であるため官僚化とまではいかないが、大勢を見るという視点に制約される。人民戦線内閣に閣僚を出したのもその現れだが、それに対してアナキスト左派ともいえるドゥルティの友やアナキスト青年同盟がFAI・CNTを批判して現れ蜂起する。

2020年7月19日

問題は、スペインでの革命の最中に、フランコらの軍人が反革命的蜂起を行い、彼らと戦争（内戦）状態となった。そこで火急の課題は「革命」か「戦争」かになり、FAIは、まずフランコとの内戦に勝つことを選んだのに対して、ドゥルティの友などは革命と戦争の二者択一ではなく「革命戦争」を主張した。

2020年7月19日

スペインのアナキズムについては、セサル・ロレンソ『スペイン革命におけるアナキストと権力』（JCA出版）があり、他にもヴァーノン・リチャーズ『スペイン革命の教えるもの』（創樹社）、シプリアノ・メラ『スペイン革命の栄光と敗北――アナキスト将校の内戦と亡命と監獄』（三一書房）その他がある。

2020年7月19日

トロツキストのフェリックス・モロウは『スペインの革命と反革命』（現代思潮社）においてアナキスト左派のドゥルティの友やアナキスト青年同盟を高く評価した。スターリニストに対するトロツキスト的なポジションをイベリア・アナキスト連盟（FAI）とCNTに対する彼らの中に見たのだろう。

2020年7月19日

スペイン革命は、対フランコの内戦に敗れたため頓挫するが、その内実やスペイン革命におけるアナキズムの展開と可能性については、マルクス主義者がロシア革命を総括したようにアナキストは総括すべきだろう。なぜなら、そこには観念ではなく現実となったアナキズムがあったからだ。

２０２０年７月19日

つまり、スペインのアナキズムは、資本主義の西欧、ファシズムのドイツ、イタリア、共産主義（ボルシェヴィズム・スターリニズム）のソ連と共に歴史的現実の一つを構成していたといえるのだ。それは現在においてアナキズムが運動を展開する場合の歴史的根拠となる。

２０２０年７月19日

アナキズムといえば、今日では、アンチファシストの流れやブラック・ブロックなど知られるが、少し前のビル占拠運動にも見られたが、それらがアナキズムとして観念の暴力的爆発のみではなく現実性を持つか否かは、スペインでのアナキズムの実験の検証がリトマス紙の一つになるだろう。

２０２０年７月19日

アナキストには自他称を含め、個人的存在を強調する実存的なアナキストも少なくないが、それらは生き方論に終始しがちであり、運動としてのアナキズムを志向するならば組織的なアナキストのウェイトが高くなり、その歴史的例証としてスペイン革命における組織されたアナキストとしてＦＡＩ－ＣＮＴがある。

２０２０年７月19日

思索者や表現者にとっては、人間の幸福も不幸も、全てが、その思索や表現のネタでしかないといえる。思索者や表現者にとっては、幸福か不幸かはともかく、その対象が問題なのではなく、その対象を、どのように思索したり表現したかということが問題なのだ。その意味で思索者や表現者は人非人性を持つ。

２０１８年7月19日

思索や表現の倫理性は、その内容にではなく、その存在にある。つまり、倫理的なことを思索したり表現するのではなく、内容に関わらずその思索や表現を引き受けること、その現実を担うことにある。美的なものが内容であろうと、それが思索や表現であり、犯罪でなく犯罪の思索や表現である所以もそこだ。

２０１８年7月19日

悲しみとは喪失感にあり、そして過去は、失われた時であるため、悲しみの場でもある。たとえ、良き事、幸せな事があったとしても、その現実はすでに無く、その良き思いでや記憶にも、一抹の切なさや感慨が生じる。切なさや感慨は、その対象が既に無いことの現われでもあるからだ。

２０１８年7月19日

ルソーの『社会契約論』が思想であり、その思想の非現実性を批判したのが保守ならば、保守とは、思想ではなく知恵だといえる。保守の思想とか保守主義というようなものがあるが、保守の思想とは、知恵の整理の別名であり、保守主義とは保守の対他的立場とでもいえようか。

２０１８年7月19日

現在には、なぜ、かつての福田恆存のような保守がいないのか（私は、福田恆存には何の興味もないが）。それはグローバル化により、民営化の外部が無くなったからだ。つまり保守の依って立つ現実がないのだ。だから保守は、あらかじめグローバル化により絡めとられており、保守たり得ないのだ。

２０１８年7月19日

どこまで有効かはともかく、ネグリとハートが『コモンウェルス』で言うところの、「公」的なものとは異なる「共」的なものへの問いも、あえていえば天賦人権論の単なる肯定ではなく、グローバル化に対するその再構築のようなものといえよう。

2018年7月19日

生前の赤尾敏と一度だけ話したことがあるが、彼の「反共親米」は、対共産圏的な戦略戦術的なものであって、彼はアメリカを信じていたわけではなかった。しかし、「反共親米」的立場のまま死んだため、彼の後継者はそれを遵守することになり、その「反共親米」は時代錯誤か親米政権の構造的手先となる。

2019年7月19日

サブカルとは何かという話があるが、神学的な観点からすれば、中世以降、つまり近代はサブカルだろうし、理性的視点からすればヘーゲル以降はサブカルであり、ニヒリズムからすればニーチェ以降はサブカルだろうし、戦争の視点からすればユンガー以降はサブカルだろう。

2016年7月13日

ニーチェは神は死んだと言い、万物の根拠が消滅し、それでもそれに耐える生を主張したとされる。しかし、人間には日常がある限り、特定の思想家や表現者以外は、万物の根拠が消滅しようとも、耐えるというような思いとは関係なく、とりあえずいつものように連鎖的に日々を生きていくのではないか。

2018年7月20日

アラン・レネ監督の日本・フランス合作映画『二十四時間の情事』(1959年)は、原爆の被爆地である広島での戦争のトラウマを引き摺った日本人男性とフランス人女性のドラマだが女性は戦争中、ドイツ人と関係したことで、戦後、丸坊主にされている。他に処刑された女性もいるが、フランスはこの戦後初期の出来事を問う必要がある。

２０１８年7月20日

母親は94歳になり、気持ちは元気だが、生活は食事をはじめ、ほぼ一切の面倒を見ている。一人にしておけず、コロナとは別の理由で家に居ることが圧倒的に多くなり、事実上「不要不急の外出」はしない日々が多くなっているが（笑）、20代の頃から普段はこのような生活だったので自宅禁錮は苦にならない。

２０２０年7月21日

人間は攻守所を変えれば、みんな悪人になる。それは、日本人だろうが中国人、韓国人だろうが、ドイツ人、アメリカ人、イギリス人、フランス人、ロシア人、ユダヤ人だろうと同じことだ。当たり前のことだが、歴史や政治の問題から、しばしばこの当たり前のことが無視されたり隠蔽されたりする。

２０２０年7月21日

ヴェーバーは変革はカリスマ的なものといった。カリスマ性の基本は、何で生計を維持しているのか分からないことだ。何で飯を食っているのか分かると世俗化しカリスマ性は消失するという。近代の革命家や、日本の幕末の維新の志士はどうしていたのか。

２０２０年7月21日

仏教で精神的に高僧的存在（身分的にではない）になるには、極悪のことさえも肯定することだろう。それが出来るためには善人であってはならない。精神的な高僧は極悪を極め尽くす必要がある。だから、どのような悪行を重ねたことを悔いる人間に対しても、大丈夫だと言えるのだ。

バクーニンはマルクスと対抗した近代の革命家で、アナキズムの破壊思想の代表とされるが、それだけなのか。マルクスは20世紀以降の思想にも影響を及ぼしているがバクーニンの場合はどうか。バクーニンがマルクス批判において問うたことは、知と権力の問題であり、その意味ではフーコーの先駆といえる。

２０２０年7月21日

実際はどの程度のものだったのかは分からないが、ソ連の晩期においてはマルクス批判は禁止だったが、エンゲルスへの批判はそうでもなかったのかもしれない。ソ連時代のピルーモヴァの『バクーニン伝』（三一書房）では、ロシア問題に関連しての論争でエンゲルスよりもバクーニンが正しいという記述があったりしたからだ。

２０２０年7月21日

中学から高校にかけての頃、アジアの歴史では中国の北になる北アジア史に強い興味を持った。匈奴とか鮮卑、柔然、突厥、契丹であり、元の後身の北元やオイラート、タタール、ジュンガル部と続く歴史だ。（＊モンゴル中部で匈奴帝国の首都遺跡見つかるのニュース）

２０２０年7月22日

■『平家物語』の平家とナチスは似ている

１９４４年7月20日は、ヒトラー暗殺未遂とドイツ将校反乱の日であり、戦後ドイツは爆弾を仕掛けたシュタウヘンベルク大佐を反ナチのヒーローにしているが、彼は詩人のシュテファン・ゲオルゲのグループに関係した人物であり、この反ヒトラー蜂起の背後には、ナチスと異なるドイツの右派勢力の動きがあった。

日本で文字通り東京を「田舎」というのは、千年の都といわれる京都くらいだろう。東京から京都に下宿して大学を卒業した者が、東京へ帰るため家主に挨拶に行くと、「田舎にお帰りになるんですね」と言われるらしい。

２０２０年７月22日

『平家物語』の平家とナチスは似ている。共に、短期間で権力の頂点に立ったが、平家は20年、ナチスは12年で敗れ崩壊し、栄枯盛衰の全貌が一望出来るからだ。壇ノ浦の戦いがベルリンの戦いとすれば、ヒトラーは差し詰め、実際とは異なり、壇ノ浦で自決した平清盛のようなものだろう。

２０２０年７月22日

『古今和歌集』の序文を書いた紀貫之によれば、言葉は天地を動かすとのことであり、このような言葉の力は、しばしば言霊といわれた。ところで近代から現代、そして現在、言葉の持つ言霊的な力はあるのだろうか。もし、あるとすれば、小説の境界ともされる所謂官能小説あたりにしかないのではないか。

２０２０年７月23日

京都の祇園祭といえば、八坂神社や薙刀鉾の稚児が知られているが、それがメインかといえば、そうではない。祇園祭は、八坂神社と、あまり知られていない綾戸国中神社の祭りであり、稚児も薙刀鉾の稚児より、綾戸国中神社の駒形稚児の方が位が上になる。

２０２０年７月18日

ベルグソンによれば、言語は、事象の流れや持続的な意識を悟性的に静止して捉えるため、持続や運動を捉えられないのだが、谷崎潤一郎の言語観にはベルグソンに通じるようなところがある。

２０１８年７月24日

かつてのナチスだが、ヒトラー派のヒトラー個人への忠誠としての指導者原理と、ナチス左派の党綱領への忠誠と場合によってはヒトラーを除名する立場の、いずれが原理的にナチスの正統だったのだろうか。

２０１８年７月24日

マルクス主義において革命論を展開したのはボルシェヴィキのみで、マルクス＝エンゲルスやカウツキーにはなく、後はグラムシのようなボルシェヴィキに対する異論となるが、批判的な展開は労働者反対派にしろローザにせよアナキズム的偏向が云々されることは意味深い。

２０２０年７月24日

２０２０年７月25日

■マルクスには革命論はない

つまりマルクスに戻れば、マルクスには『資本論』による資本主義の現実の分析はあるが、革命論はなく、同時代で革命論を展開したのはバクーニンだったことだ。だからボルシェヴィキも革命論においては、裏からバクーニンの革命論を理論的に密輸入せざるをえず、プレハーノフあたりはそこを批判した。

２０２０年７月25日

バクーニンは革命論については、その点では社民左派程度でしかないマルクスよりも本格的な展開をしている。つまり、現実の分析のマルクスと、革命論のバクーニンということになる。アナキズムは、現実の分析ではマルクス主義に遅れをとるかもしれないが、革命論において先を走っていたといえる。

２０２０年７月25日

晩年のマルクスは、ロシア問題その他において無自覚なままバクーニン化していたといわれるが、マルクス主義が革命論を展開したり、現実に革命運動や闘争をする場合、無意識のうちにアナキズム化している。アナキズムを知らないマルクス主義者や研究者の革命論が凡庸でつまらないのもそのためだ。

2020年7月25日

マルクス主義に限らず、ファシズムにおいても、また右翼的な立場においてもラディカル化した場合、直接あるいは間接的にせよアナキズム的な革命論の影響を受けることになる。例えば三島由紀夫にしても、その天皇論は、彼の言によればアナキズムを内包している。

2020年7月25日

左翼の革命論からすれば、ゲーム理論的なものの現実可能性は改良にすぎない。逆にその立場からすれば観念論とされるのかもしれないが、観念論とされる真理は、存在の可能な極限つまり消失点にまで行っていることであり、実はそれが改良をも逆に支えているといえる。

2020年7月25日

三島由紀夫はザインとしての天皇に対して、ゾルレンとしての天皇を主張した。それがザインとしての天皇を批判した三島の天皇思想だが、しかしゾルレンとしての天皇とは何なのか。それを具体的に示さない限り、三島の個人的趣向を越えるものにはならず、三島の天皇思想の弱さも、そこに求められる。

2016年7月25日

■日本人にとって在日コリアンはユダヤ人のような存在になる

近代におけるユダヤ人問題の本質は、資本主義経済の問題と絡んでいる。なぜ、ユダヤ人は差別され、排除され、そして殺されたのか。そこから見えるのは、共同体に対する資本主義の外部性であり、この点で宇野経済学は、読みようによっては面白く使える。

２０１７年７月25日

この問題は、在日コリアンを問う場合にも重要な視点となる。共同体的な日本、あるいは共同体的な日本を志向する日本人にとって在日コリアンはユダヤ人のような存在になる。そして在日コリアンにとっては韓国や北朝鮮は、法的に故国ではあっても、その在日という在り方において別のものとなっている。

２０１７年７月25日

マルクスは、『ユダヤ人問題によせて』においてユダヤ人の政治的解放ではなく人間的解放を主張した。ここでいう人間的とは、現実的ということであり、それが資本主義批判と超克へと展開されるが、問題は、それは可能なのかということだ。つまり、資本主義は、何処から来たのかということだ。

２０１７年７月25日

ナチスは、退廃芸術を新古典主義的立場から否定し弾圧した。その意味でナチスは、退廃芸術を弾圧したが、それでもアート派にすぎなかった。ナチスが肯定し、自らの立場とした新古典主義もまた退廃芸術にすぎないとして、その中に数え入れる必要がある。それこそがダダイズム版の「労働者」といえよう。

２０１７年７月25日

イギリスは経験論で、フランスは合理論で、ドイツは観念論とすれば、それに対応して、英語は経験的であり、フランス語は合理的、ドイツ語は観念的だ。つまり英語のその場しのぎ性、フランス語の人工性、ドイツ語の文法性とでもいえようか。

２０１７年７月25日

病気や自然災害は、合理的に考えて、神や仏に祈ったところでどうなるものでもない。それでも人間が祈るのはなぜなのか。祈るしかないといえるが、しかし祈ってどうするのか。要するに、心を落ち着かせたり、気持ちを維持しようとするための意識の焦点として祈りがあるのだろう。

２０２０年７月26日

五来重『日本の庶民仏教』に続けて『日本人の仏教史』（角川選書）を読む。宗派や高僧の仏教思想史ではなく、無宗派の聖僧の庶民信仰と結びついた信仰史だが、大原声明を大成した「仏教音楽の不出世の天才」だった良忍に始まる融通念仏を「これが日本人の仏教というものだ」という観点は優れた見識だと思う。

２０２０年７月26日

融通念仏は、一遍も従事する。これについて五来は一遍の念仏は、浄土宗や浄土真宗の念仏（専修念仏）とは異なる融通念仏であり、一遍を浄土宗系の一派とする多くの一遍観は誤りだというが、これも正しい。そもそも専修念仏と融通念仏は正反対の立場にある。

２０２０年７月26日

あえていえば、浄土宗や浄土真宗の専修念仏がマルクス主義的としたならば、融通念仏はアナキズム的といえよう。専修念仏の学僧が宗派の党員とすれば、融通念仏の聖僧は非宗派の結社員だといえる。つまりマルクス主義者は学僧的存在とすれば、アナキストは聖僧的存在となろう。

２０２０年７月26日

注意すべきは、良忍を祖とする融通念仏と、その後の融通念仏宗は区別する必要があることだ。

むろん全く別ではなく、本来、非宗派的な融通念仏の宗派化が融通念仏宗なのだが、融通念仏宗の興味深い問題は、非宗派性と宗派性がどのようになっているかということだ。つまりは不可視の宗派性だ。

２０２０年７月26日

天台宗の第三代座主といえば慈覚大師円仁だが、円仁には『入唐求法巡礼行記』があり、立命館の哲学科の日本思想史で、唐に渡り密教を学んだ円仁のこの日記を購読する講義があった。その円仁がもたらしたものが、念仏合唱の曲調の原曲になるらしいが、これを美しい声明として完成させたのが融通念仏の良忍になる。

２０２０年７月26日

戦間期の短期間で経済を復興させようとしたり、戦争中は、何事も慌しくなり、残忍な功利性が現実になる。そのような場合の残忍さと、現在のような平時の残忍さを同じようなものと見てはならない。それでは、平時である現在の残忍さの本質が、戦間期や戦時に還元されがちとなり、見えなくなるからだ。

２０２０年７月28日

今、古希前後の者が20代の頃だから１９７０年代に読んだ思想家や批評家、研究者、作家は、全てではないけれど、大半が死んでしまった。さらに版元や編集者も多くが死んでいる。これは寿命その他から仕方のないことだが、同時にそれは、歴史や現実の体験が消滅することでもある。

２０２０年７月29日

例えば、１９６８年闘争の体験者や目撃者と、その後に生まれ、半ば歴史や過去の事としてしか知らない者との間には、確かに現実感覚の違いがある。単に違いを認めるだけでなく、何がどう違うのか、また違いを可能にする共通性は何なのかを問わないと、どのような見解や立場も単なる自己主張にしかならない。

２０２０年７月29日

相も変わらず、このような雑な話が、平然とまだ行われている。ドイツはホロコースト関連については反省や謝罪はしているが、戦争犯罪については、捕虜の虐殺から慰安婦問題まで全て無視しており、どっちもどっち論。戦争犯罪についてドイツに見倣うなら、日本は謝罪も反省もする必要がなくなるだろう。

２０２０年７月29日

大体、日本はドイツに倣って戦争犯罪を反省し謝罪せよというようなことは、リベラルか社民や文化左翼あたりがいうことであり、左翼革命派や所謂極左は、まずいわないだろう。左翼革命派や所謂極左は、反戦平和派ではなく革命戦争派だから、このような問題は踏まえている。

２０２０年７月29日

韓国では、ある個人が、少女像の前で、安倍晋三と思しき人物が謝罪する像を作ったようだが、これには笑ってしまった。これが韓国の一般的な思いを表しているなら、韓国は真に日本の謝罪など求めていないことになる。日本の執政者の謝罪が欲しければ、日本の国民をその方へ誘導する必要があるからだ。

２０２０年７月29日

■戦争と映画が映し出すもの

野間宏『真空地帯』（新潮文庫）は日本陸軍の兵営を描いたものだが、映画に、陸軍刑務所から原隊復帰した木谷一等兵が、調理部の班長の金子軍曹を訪ねるシーンで、金子軍曹は木谷のために部下に「チキンライスをもう一つ作ってこい」と命じるが、昭和19年頃の内務班で、この程度の英語なら良かったのか（笑）。

2020年7月29日

ハンス・H・キルスト原作、エルンスト・V・ザロモン脚本のドイツ映画『08／15』は、ドイツ陸軍の兵営を描いており、日本陸軍と同じく、シュルツ准尉やプラツェック曹長、リンデンベルク伍長ら下士官の陰惨な兵隊虐めが登場するが、違いは日本とは違ってドイツの場合は殴るという行為がないことか。

2020年7月29日

戦後のニュルンベルク裁判と東京裁判の違いの一つとして、ニュルンベルク裁判ではドイツ陸軍を無罪にしたのに対し東京裁判では日本軍を有罪にしている。だからドイツの軍事に従事した将軍で有罪者はいないが、日本の将軍にはいる。しかし別にドイツ陸軍より日本陸軍の方が残虐だったわけではない。

2020年7月30日

要するに、日本には、ナチスの武装SSのようなフレームアップ出来る軍事組織がないため、伝統的な組織にすぎない陸軍にそれに近似したものの一部を担わせたといえる。なぜなら、そうでもしなければ、戦争犯罪の現場がなくなるからだ。結果、ドイツでは軍が再建されるが、日本は軍ではなく自衛隊になる。

2020年7月30日

思想と革命と食い扶持の問題——社会から身分制度が無くなり階級社会になり、さらに階級が事実上消滅し、資本家も労働者も個的起業者となった時、問題となるのは端的に食い扶持だ。下部構造という理屈ではないが、思想の有無も食い扶持により大きく左右される。

２０２０年７月30日

国際関係論が専門らしいある政治学者が、国に関連した仕事をしながらアナキストを自称している。アナキストが国の仕事をするか。まさに自称たる所以だが、それとも国の機構に潜入したアナキストなら、この御仁はネチャーエフか。しかしネチャーエフはアナキストではないだろう（笑）。

２０２０年７月30日

今は冷房装置が発達したので肝試しのようなことはあまりやらないのだろうか。ボーイスカウトをしていた中学生の頃、隊の上級班長となり、墓は怖くないということで脅す役になったことがある。墓で待機して、来た者を脅す役も大変だ。何しろヤブ蚊が多く、待機中は、ほぼヤブ蚊との戦になっている。

２０１７年７月30日

解放派の人間の記憶とローザ・ルクセンブルク——新左翼の党派で、解放派は私には人間関係的にも最も身近なものだった。まず、同じ中学出身で、中学浪人して私と同じように高校を卒業するのに４年かかった友人が、高校２年の時に、解放派の高校生組織である反帝高評があった。（**＊261頁参照**）

２０１７年７月30日

古いダンボール箱から１９６８年闘争期のアナキズムの資料が 数年前に、約45年ぶりに再会したアナキスト革命連合（ＡＲＦ）の元同士から貰った資料と合わせると、かなり貴重な戦後アナキズムの歴史資料となるだろう。まず戦後のアナキズムにおいて画期的存在であった……（**＊264頁参照**）

差別というと、近代の思想は、まさに差別そのものでもある。近代において人間とは、西欧の白人の成年男子のことであり、それ以外の、子供、老人、女性、非白人は、人間ではなかったからだ。

2020年7月31日

2020年7月31日

山本薩夫監督、木村功主演の映画『真空地帯』の「チキンライス」の場面の動画をアップしておこう。

2020年7月31日

◇8月　歴史の事実と歴史の意味は違う

■ブランキ、バルト、バタイユ、ブランショ……

以前、ドイツの作家のギュンター・グラスは、ナチスを批判するフランスの作家たちに対して、フランスの作家はフランスのファシズムを批判したまえ、ナチスはドイツの作家が批判すると言った。これはフランスの作家のナチス批判が、無自覚な単なるナショナリズムに転化することへの警告だった。

２０２０年８月１日

地球生態学とか宇宙物理学では、太陽や地球の消滅する時期が計算されている。これは現実には、何億年か先のことで、ホモ・サピエンスの歴史からしても、あまり現実感のない未来の話でもあるようだ。しかし、これは思想にとっては本質的な問題でもある。

２０２０年８月２日

松田政男と戦後のアナキズムの異端の界隈―１９７０年代前半に『映画批評』という雑誌があった。映画評論家という職業肩書きの松田政男が編集者で、大島渚や唐十郎から竹中労、平岡正明、太田竜、さらには川本三郎その他の人たちの映画批評が掲載されていた。（＊２３１頁参照）

２０２０年８月２日

アナキズム思想史の基本視点を作ったのはクロポトキン主義者であり、その後のアナキズム史や史論は、無自覚なまま、それを当然のこととして踏襲している。だからブランキとバクーニンは対極的とされたりする。しかしバクーニンの革命思想に影響を与えたのはブランキ派のドイツ人のヴァイトリングだ。

2018年8月2日

久しぶりにブランキの『革命論集』（現代思潮社、のちに彩流社で復刊）の頁をめくる。36年半、牢獄に繋がれたブランキは75歳で死に、葬儀には10万のパリ市民が参列。インターナショナルの作詞者ポティエによるブランキの墓碑銘の「慈悲なき階級に逆らい、パンなき民衆のために闘い、生きては牢獄の壁に囲まれ、死して彼は柩の中にあり。」と記されている。

2018年8月2日

日本でブランキの全体像を初めて紹介したのは、1963年刊行の『コンミューンの炬火』（現代思潮社）だった。S・モリニエの力強い文体によるブランキ論が、牢獄と柩の中にいる孤独だが不屈の革命家であるブランキの横顔を浮かび上がらせてくれる。「この世で革命家たらんとする者は、墓の中以外では眠るべきではない。」

2018年8月2日

ブランキ評伝としては、ジェフロワの『幽閉者』（現代思潮社）がある。「この散文詩ともいうべきユニークな著書は、絶え間なくくり返されたとらわれの、数知れぬ夜と昼の再現であり、一人の死者の復活、真の英雄の聖化であり、人の忘却にさらされる一人の闘士の不滅性の喚起であり、獄中の人々の座右の書である。」

2018年8月2日

日本には意外なことに独立したソレル論がない。ジョルジュ・ソレルの『暴力論』は、権力に対する倫理性を含む対抗の力をゼネストとして考察しているが、昨今の政局化した政治を批判する現実を考える参考になる。ただ今村仁司や市野川容孝あたりのような、ソレルの暴力論をベンヤミン的に回収して展開することは避けたい。

２０２０年８月２日

かつてエーリヒ・フロムは『自由からの逃走』（東京創元社）において自由に耐えられず権威にすがる人間の心理を主張したが、自由の独裁は、その程度の問題ではない。自由は重荷なのではなく、自由そのものが自由ではないということなのだ。

２０１７年８月１日

人間はデカルトのコギト以来、自我が基軸となっている。しかしデカルトは心身分離の問題を解決出来ず、スピノザも神にかこつけなければ問題処理が出来なかった。仮に心はデカルトのいう自我の世界としよう。では身体の方は。そこは、自我も知らない、自我の外部としての何億兆個もの菌の世界だろう。

２０１８年８月３日

久しぶりにカール・バルトの『教会教義学』のユダ論を読む。初めて読んだのは１９７１年で、公私共に大変な時だった。バルトのユダ論については１９７６年に「イスカリオテのユダ――思想の存在もしくは思想の表現者」という文を『現代の眼』に書いているが、バルトとニーチェを格闘させようとしたものだった。

２０１８年８月３日

バルトは、ユダを神の使いだと捉え、聖パウロをユダの後継だとする。しかし、そうだとするとユダは、神の単なる機関でしかなくなる。ユダは、イエスがゴルゴダの十字架の上で果てた時、彼も自死している。私は、このユダの自死を考えたくてニーチェを引っ張り出したのだった。

２０１８年８月３日

私がバタイユとブランショの名を知ったのは19歳の時で、当時、大阪市天王寺区上本町８丁目にあった大阪外大のバリケードにおいてだった。同大学にはアナキスト革命連合（ＡＲＦ）のゲバルト部隊が駐屯しており、黒旗が林立していたが、そのＡＲＦで大阪外大生だったＡ崎という人間から教えられた

２０１７年８月３日

さっそく、ブランショの『文学空間』とバタイユの『内的体験』（現代思潮社、現在は共に平凡社ライブラリー）を読んでみた。当時は、バタイユよりもブランショの方が面白く、『文学空間』は一知半解なまま何度も読み返した。70年代に入り『パイデア』という雑誌がブランショ特集号とバタイユ特集号を出していたが、そんな訳で私には二人は一対だ。

２０１７年８月３日

■ユンガーとトーマス・マンの違い

池内紀『戦う文豪とナチス・ドイツ』というトーマス・マン関連の本が中公新書から出るらしい。どうでもいいがトーマス・マンでは、ナチス・ドイツはおろか20世紀の精神や現実の問題に対処しえないだろう。「独裁者にペンで立ち向かった男」とあるが、彼はアメリカという安全地帯にいたにすぎない。

２０１７年８月３日

トーマス・マンの短編に『トニオ・クレーゲル』がある。そのラストに象徴的なようにマンの小説は、現実に直面するところで終る。『魔の山』もそうだ。それは、マンの文学が、本質的に第一

次大戦以前のものであることを示している。そして直面した現実に対してマンが取り出すのは逆説と物語にすぎない。

２０１７年８月３日

トーマス・マンに続くドイツの文豪とされるのがエルンスト・ユンガーだが、マンとユンガーは何が違うのか。マンは第一次大戦以前に教養と現実を形成し終えているが、ユンガーは第一次大戦以前に教養に接し、第一次大戦という現実を踏まえている。そこにマンの物語とユンガーの日記の本質的相違がある。

２０１７年８月３日

ユンガーに関して、どうもよく分からないことがある。一つは、彼はフランス語が堪能だが、いつ、何処でフランス語を習得したのか。戦場でも大学においてでもないはずだ。もう一つ、彼は該博な知識の持ち主であり、第二次大戦中も、多忙な任務の間に多くの書を読んでいるが、その読書の早さだ。

２０１８年８月３日

ニーチェであれマルクスであれユンガーやハイデガーにせよ、人間的限界を探求しえたのだろうか。というのも人間的限界の人間とは何であり、その現実はどのようなものとしてあるかということだ。これに関していえば、ニーチェもマルクスもユンガーやハイデガーその他も、象徴的な詩でしかない。

２０２０年８月４日

つまりニーチェは超人の現実に、マルクスは共産主義の現実に、ユンガーは労働者の現実に、ハイデガーは存在の現実に至っておらず、その前段の人間的現実の消失点に留まっている。しかしこれは思想としては正当だ。思想は空想とは別のものであり、未成の現実を孕むからだが、未成の現実とは何かだ。

2020年8月4日

思想家には、この未成の現実が何であり、何をどうすればいいのか薄々分かっている者もいるはずだ。しかし、その現実を正面切って展開すると、人間が許容する思想から追放されかねないところがあるかもしれない。だから口を閉ざしたり、暗示的な言い方になるのだといえる。

2020年8月4日

カントが何事も現象だというのはよく分かる。例えば、顔だが、美女とかイケメンというのは現象となる。もし、現象の背後の物自体を志向するなら髑髏にでもなり、美女もイケメンもあるまい。しかし、ポストモダン以降においては、髑髏における美女やイケメンが求められるのだ。

2018年8月4日

フーコーその他が「外部」とか「外」といったが、フランス思想には外部はない……。（＊266頁参照）

2020年8月4日

宗教とイデオロギーの違いは、宗教は異教徒であれ他宗派であれ、他者の殺戮を目的化することがあるが、イデオロギーは、いかに残虐非道であろうと、他者の抹殺は目的的ではなく結果的な場合が多い。これは宗教における信仰と、イデオロギーにおける確信の相違の結果だろう。

2018年8月4日

私は子供の頃から、私の目に映る現実が信じられなかった。それは偽りであり、その向こうに真実があり、何かの拍子にそれが私の前に現れ、私に押し付けられるのではないかと思っていた。それに対抗するには私の目に映る現実とは虚構であると考えることだ。その結果、目に映る現実などどうでもよくなる。

２０１８年８月４日

ドイツ観念論は、いってよければ自我の問題に始まり、自我の理性への昇格で大団円となる。しかし、この自我とは何か。近代におけるフランスの自我とドイツの自我の違いと対極性は、これまで見過ごされてきた。ドイツの自我とは、近代としてのフランスの自我からすれば、他我であり外部になる

２０１７年８月４日

このドイツ的自我のさらに外として、近代日本の自我がある。それゆえ、日本の自我は、フランス的な自我とドイツ的な自我に、見えざる分裂をすることになり、問題が見えにくくなる。例えば、戦争期の座談会「近代の超克」が、問題点がバラバラとなり、焦点を結び得なかったのも、そのためでもあろう。

２０１７年８月４日

つまり、日本人がフランス思想をやる場合、字面や言葉によって展開されている論理を、正確に、そして緻密に追尾しても駄目だということだ。ところが、研究者にはそれしか出来ない。そして思想の現状が研究者の副業と化していることから、思想の現在が本質的に駄目になっている所以もここにある。

２０１７年８月４日

ドイツの自我は第二次大戦後、戦後という内部への降伏を強いられ従属しているといえる。むしろんドイツ的な違和感は裏味の塩のようにある。それがフランクフルト学派とその周辺だ。ではド

イツ的自我は何処へ行ったのか。一つはヒトラーとして更なる外である死に至り、もう一つはユンガーとして森を行く。

2017年8月4日

ヒトラーが「Ich（私は）」と言う時、その「私」とは、第一次大戦で死のニヒリズムを体験した理性であり、ヘーゲル的理性の本質的外部性の人格化でもある。しかし、それが現実化されると内部化する。ユンガーが同意しなかったところだ。

2017年8月4日

日本人が伝統的にドイツの思想に対して抱く誤謬は、ドイツ思想を、西欧の範疇や近代の範疇で捉えてしまうことにある。それは、近代日本が、ドイツを、西欧や近代として輸入したからでもあるが、ドイツは、反西欧の自己であり、近代的に武装した反近代だったことを再確認する必要がある。

2017年8月4日

20代の頃からの畏友で西日本短大教授だった牛嶋徳太朗は専門がファシズム政治学であるにも関わらず、芸能的な学科を作り、その学科長としてアイドル創出を教科としてきた。私はアイドルに詳しくないが、感じたことはアイドル業種もまたその外見的イメージと異なり、それ自体が一つの闘争ということだった。

2017年8月4日

そこで思い返すのは、還暦を二年後に控えた現在も絶大な人気を維持している松田聖子だ。世間が抱くイメージとは裏腹に、彼女は自分の歌手活動をはっきりと闘争という言葉で把握している。

彼女の精神的な強さは、しばしば指摘されるが、その内実は、この闘争という意識にあるのだろう。

２０１７年８月４日

レバノンのベイルートで大爆発があったようだ。重信メイさんがアップしている動画からもその大きさが分る。イスラエルかヒズボラか事故なのかは不明。

２０１７年８月５日

最近思うのだが、「１９６８年論」というものは多数ある。しかし「１９６９年論」というものはない。知らない人からすれば、一年違いの同じようなことと思われるかもしれないが、実は、この一年の違いにＫ・レーヴィット風にいえばヘーゲルからニーチェへの違いがある。つまり年長世代の１９６８年と、年少世代の１９６９年だ。

２０１８年８月５日

諸般の「１９６８年論」は、当事者によるものであれ、その後の世代によるものであれ、見事に１９６９年の年少世代の問題、つまり、当時の運動における能動的ニヒリズムの問題が欠落している。だから１９７０年代の思想を、西武文化とかコピーライターの援用でしか語れないのだが、そんなものはクズだろう。

２０１８年８月５日

この時代に対する後年から捉えられた思想や運動についての考察は、ほぼ例外なく、１９６９年の年少世代の問題を欠落させている。それはあえて誤解を恐れずにいえば、玉砕戦や特攻隊を欠落させたまま、先の戦争を語るようなものに等しい。

２０１８年８月５日

地震その他の災害があると義援金が募集される。また世界には飢餓や病気、戦禍その他の問題があり義援金が求められている。しかしこのようなものは富裕層が資産の一部を吐き出せば、当面の応急措置的な対応が出来るはずだ。富裕層には富の浪費でなく大枚を寄付してもらい善人になってもらう必要がある。

2019年8月8日

『資本論』第一巻執筆後のマルクスの「ヴェラ・ザスリッチ宛の手紙」や、マルクスが関心を向けた問題を見ていくと、いろんな意味で面白い思想的なテーマが浮かび上がってくる。ジェイムソンが従兄弟関係というアナキズムとの関係もまた面白く探索出来そうだ。

2018年8月8日

この後期マルクスの多様な関心を見ると、マルクスは革命派から改革派あるいは改良派に転じたように見え、また、そこに改革あるいは改良的な現代の左翼の立脚点が見られるかもしれない。確かに現実には改革や改良が実践課題になるが、変革はそこに還元出来るのだろうか。

2018年8月8日

ユンガーは、その苛烈な戦争体験と戦争肯定から右翼の過激派と見られたりもするが、彼がナショナリストとなるのは、大戦後であり、多くの同年代の若者が戦死した意義を求めてのことだった。戦争中の彼は世紀末的頽廃を突破する冒険的精神によるものであり、ナショナリズムによるものではなかった。

2018年8月8日

だから、当時の右翼とユンガーの戦争終結への意識は違っていた。右翼の大半は、背後の裏切りがドイツを敗戦に導いたのであり、実際には敗れていないという立場だったが、ユンガーはドイツの敗北は中途半端であり、徹底した敗戦を通じて、勝敗を突破した現実に到れという立場だった。

天皇機関説は天皇制の汎神論のようなものだろう。そしてその前段階は一君万民となる。一君万民としての天皇制の意味は封建制の一掃、諸々の多様な差別の一君万民的な絶対的一様化にある。汎神論は無神論の前夜とされるが、このような歴史構造を踏まえなければ反天皇制は不可能なことを反天皇派は知れ。

２０２０年８月９日

日本はアメリカの原爆投下や都市への無差別爆撃を批判しているが、日本も原爆開発をしており、米本土への空爆を構想していたことを忘れてはならない。日本の力がそれに及ばなかったわけだが、ゆえに反戦派以外は、アメリカを倫理的に批判するのではなく、日本の非力を軍事的に自己批判すべきなのだ。

２０２０年８月９日

アメリカの原爆投下を犯罪として倫理的に批判するのは自由だが、それはアメリカの勝利を前提とした被害者意識だ。日本にも戦争の大義があったとするならば、思想的に戦争は継続中の観点にたち、日本の大義を遂行するところのアメリカに対する加害行為を貫徹出来なかった軍事的現実を反省すべきだろう。

２０２０年８月９日

ユンガーは第一次大戦の戦場で14度負傷の内、7度重傷で、いわば奇跡的に生還しているが、私の父も、生還出来たのは奇跡的だったらしい。昭和19年の大陸打通作戦の時の、「昭和の２０３高地」といわれた衡陽の凄惨な攻防戦や、米軍飛行場制圧のための芷江《しこう》作戦における大阪の独立歩兵大隊に関する話。（＊２６７頁参照）

「感染希望。ワクチン反対」も、一つの立場だ。一つ提言すれば、「感染希望」などと弱腰的な立場ではなく、自力で感染者を探し、自身も感染者になることだ。それで入院させようとする当局と闘い、入院や治療も実力で否定することだ。そうでなければ、この立場は単なるお為ごかしだろう。

2020年8月10日

犬や猫の寝姿を見て「可愛い」と感じる人は少なくないが、その犬や猫にとって眠るとはどのようなことなのだろうか。人間にとっては、しばしば、煩わしい日常から逃げられたり、また、楽しいか怖いかは別に日常とは違う世界としての夢を見たりもする。犬や猫も夢を見るのだろうか。

2020年8月12日

なぜ日本にだけ封建制が成立し、中国大陸や朝鮮半島には成立しなかったのか。一ついえることは、中国では科挙という国家試験があり、それで文官や武官などの役職が決められ朝鮮半島はその影響下にあったのに対して、日本にはそのような試験制度はなく、文も武も職業は全て家業だったことだ。

2020年8月12日

分かりやすい例を上げれば、中国の武官や平安前期の頃の日本の武官と、平安後期以降の武士の違いだ。具体的な名を上げれば、武官である坂上田村麻呂と、武士である八幡太郎義家（＊272頁参照）の違いだ。田村麻呂の武官性は公職とすれば、義家の武士性は家業だから私職といえよう。この私職性が封建制の素地となる。

2020年8月14日

日本の保守や親保守系の右翼は植民地や虐殺や慰安婦その他で、なぜ日本だけが批判されるのか、

2020年8月14日

どこの国でもやってるだろうという思いがあるのだろう。ならば日本の所業を否定したり隠蔽せず、堂々と世界的に人類のトップランナーとして謝罪し反省することだ。人類のトップだから他も続かざるをえない。

2019年8月14日

知らんふりをして続かない国は、反省も謝罪もしない悪となるか、どこの国もこの問題には、臭いものに蓋で臨むようになり、誰も日本の所業など追求しなくなるだろう。追求すれば自分の身にもふりかかるからだ。実は、これがドイツが行った謝罪と反省のやり方でもある。

2019年8月14日

人類のトップランナーということは、人類として反省や謝罪をするということだ。日本がその人類の最先端にいるだけにすぎないということでもある。人類だから、みんな同じだという論法になり、先行した国が道義的になるという構造でもある。

2019年8月14日

ドイッチャーの三部作『武装せる予言者・トロツキー伝』『武力なき予言者・トロツキー伝』『追放された予言者・トロツキー伝』（新潮社）を読んで思うことは、スターリンとの党派闘争におけるトロツキーの闘争の下手さ加減だ。スターリンの狡猾さに対してトロツキーには躊躇や相手への侮りがある。ただそれはトロツキー特有のことではなくインテリ的な革命家にしばしば見られるものかもしれない。

2019年8月14日

ドイッチャーのトロツキー伝に続いて対馬忠行の『トロツキズム』（現代思潮社）が書家の奥に埋もれていた。私が持っていたのは1971年の増補版だが初版は1967年12月刊行だから同年の三派全学連の羽田闘争の直後になる。それを思うと、このような書の持つ歴史性の一端が覗見出来るように思われる。

2019年8月14日

日本の勢力圏であり、日本の傀儡国家だった満州国で、日本と協力して反ソ活動を展開した、逆卍の旗の下で約2万の党員を数えた白系ロシア人によるロシア・ファシスト党についてのジョン・E・ステファンの400頁近いの本格的な歴史的考察 THE RUSSIAN FASCISTS は、貴重な写真も多く、テーマ的にも興味深い

2017年8月14日

天皇もまた天皇一族の家職だと考える。ただ天皇一族の天皇を、将軍以下の家職の任命者という公的なものの代替として半ば制度化してきたわけであり、明治の時に、近代化のために私性に対する超越性な公性が必要ということで、天皇を公的なものにしたのだと思われる。

2020年8月14日

「印欧語族」あるいは「インド・ヨーロッパ語族」という言葉があり、その世界に対する研究もある。しかし印欧語族は本当に存在したのか。以前からそれについて胡散臭く思っていたが、松村一男「なぜ私は印欧語族研究を止めたか」(『宗教とファシズム』水声社、所収)が、そのカラクリを述べている。

2020年8月14日

ロシアのプーチンがモンゴルを訪れた際のモンゴルの儀仗兵を務めた騎兵とのことだ。チンギス・ハンの頃のユーラシア大陸を席巻したモンゴルの騎馬部隊とはまた違うだろうが、それでもチンギス・ハンを連想させるのが良く、今でもモンゴル最大の英雄はチンギス・ハンなのだろう。

■玉音放送があった日

8月15日は玉音放送があった日だが、まだ互いに見知らぬ者同士だった私の父と母だが、父は大阪の独立歩兵大隊の歩兵砲中隊に属し大陸打通作戦や芷江《しこう》作戦に参加したまま中国南部の戦線におり、その時、18歳だった母親は大阪の帝塚山の家から家族と共に名古屋の郊外に疎開していた。

2020年8月15日

父親は玉音放送にははっきりした記憶はないらしい。戦闘状態は8月15日も続いていたらしい。その後、敗戦が通達され、国民党の軍の捕虜収容所に入れられ、国民党の兵士に砲の撃ち方を指導したりしていたとのことで、復員は翌年。母親は玉音放送の時は友人と畑の道を家路に向かっていたらしい。

2020年8月15日

玉音放送のあった8月15日に関する話で印象的なのは、前日の夜までは灯火管制があり、夜は闇夜に包まれた感じだったらしいが、8月15日の夜は、早くも明かりをつけて走る列車も見ることが出来たという話だ。どのような時も、人間は生きているという光景なのだろう。

2020年8月15日

玉音の数日後、電車に乗る機会のあった母親は、社内に多くの若い男性の姿を見て驚いたらしい。それまで若い男の姿など見ることはなかったからだそうだ。たぶん、内地の部隊におり、招集解散で家に帰る若い兵隊たちではないかということだった。

2020年8月15日

父親は戦争が終わった時、狭い日本へ帰るより、そのまま残り馬賊にでもなりたいと一瞬思ったらしい。父は復員後、先に帰還していた軍医の大尉だった父の兄が開いている医院を手伝っていた。高等女学校を卒業し、当時まだ旧制だった女専（現在の女子大）に入学した母親がニキビの治療で通院し、二人は出会う。

2020年8月15日

中国「大陸打通作戦」——大阪の部隊とアメリカ。アメリカの情報収集力は、到底、日本の比ではないことは改めて言うまでもないだろう。その些細な片鱗とでもいうべきものにチラリと接したことがある。それは昭和19年（1944年）の中国大陸における日本陸軍始まって以来の大作戦……（＊268頁参照）

2020年8月15日

昨日は、終戦か敗戦かはともかく、先の大戦の終決した日とされる。しかし先の大戦は終結したと捉える点では、一見、対極的な保守右派と社民左翼の間には大差はなく、同じ穴の狢といえよう。戦後を前提とした改革ではなく、戦後を根底から批判しようとするならば、戦後によって終わったとされる戦争は、実は終わっておらず、思想的に継続しているのだという立場に立つべきだろう。

2020年8月16日

今年のお盆も終わったが、私の家の宗旨は、日本の浄土教仏教の先駆である良忍の融通念仏に基づく融通念仏宗だ。法然や親鸞の学僧的な専修念仏と異なり融通念仏は、行基、空也に連なる聖僧的なものになる。良忍は念仏合唱としての融通念仏に至るが、面白いことに融通念仏宗は華厳経を経典とする。

2020年8月17日

ワーグナーは音楽家だから、あまり思想史には登場しないが、ヘーゲル左派以降のドイツ思想史

において、重要な存在だ。ヘーゲル左派、ドイツ初期社会主義とドイツ・ファシズムを繋ぐ接点になるだろう。（＊274頁参照）

２０２０年８月18日

渋谷の大盛堂書店といえば、１９７０年代頃は、その地下にミリタリー店があり、旧ドイツ軍の軍服や勲章をはじめナチス時代の記録映像のビデオ等を販売していた。ある時、覗くと店主らしい中年の男が、血痕のついた東部戦線のドイツ軍の軍服の買い取りの電話交渉をしていた。

２０２０年８月18日

古賀暹『北一輝――革命思想として読む』（御茶の水書房）を読む。４００頁以上の本格的な北一輝論で、北の著書を丁寧に読む展開だが、これは研究でもなければ批評や評論でもない。元ブントの活動家で『情況』誌の創刊者である古賀氏が、自分の思想と北の思想を正面から格闘させたような内容である。

２０１７年８月19日

古賀氏のファシズム観がリベラルや左翼の伝統的なファシズムに近似的であることを除けば、その北一輝観は概ね肯定できる。北の国体論批判と明治天皇観を見ていくと、北の思想が左翼的モダニズムにかなり近いことが分かり、古賀氏はこのあたりを丁寧に読み込んでいく。ブントや全共闘との関連も面白い。

２０１７年８月19日

北一輝にとって明治維新は、絶対王政と市民革命が、同時的に遂行されたものであり、明治天皇が絶対王政の王であり、天皇機関説が市民革命になるのだろう。だから北の天皇論においては国体論的な天皇観は批判対象でしかなく、明治天皇は天皇だからではなく、絶対王政の王として歴史的に肯定されている。

2017年8月19日

私は、日本の思想家にはアジア的な宿命が払拭されていないと思う。近代日本には脱亜論があったが、では、その脱亜の「脱」は、如何にして可能となるのか、その根拠は何なのか。考えてみれば、それは知識人の自己啓蒙であり、知識の近代性でしかない。近代日本の天皇制度の問題は、この渦中にある。

2017年8月19日

北一輝が絶対王政の王と捉えた明治天皇を、私は天皇の否定神学的に捉えてみたいと思った。つまりニーチェが「神は死んだ」と言ったが、そもそも神は最初から死んでおり、神とは神の死の存在だという神学だ。つまり始原の天皇とされ、そのようなものとして形象化された神武帝とは何者かということだ。

2017年8月19日

小学生の頃から反アングロ・サクソン派だった私は30歳になるまで英語圏の文学は、ほとんど読まなかったが、数少ない例外が、アメリカのフォークナーとヘンリー・ミラー、イギリスのウィンダム・ルイスその他だった。アメリカの南部の鬱積した精神の襞を描いたフォークナーは、なぜかよく読んでいた。

2017年8月19日

思い返してみれば、反アングロ・サクソン派だと言いながら、ミラー、フォークナー、ウィンダム・ルイスの他にも、ヘンリー・ジェイムズ、D・H・ロレンス、ワイルド、ジョイス、ベケット、ドス・パソス等々、読んでおり、それだけでなくスタイロンとかソール・ベロー等にも手を出していた（笑）。

２０１７年８月18日

じゃあ反アングロ・サクソンの担保は何処にあったのか。例えば、ヘミングウェイとかスタインベックあたりを矢面に出来るかもしれないが、しかし、彼らについても、渋々か、敵の精神的偵察行為だったのかはともかく、その代表作は読んでいた（笑）。

２０１７年８月18日

千早赤坂で楠木正成が籠城戦をしていた時、正成と連携して戦っていた武将に平野将監重吉がいる。従来まであまり取り上げられない人物で、正成の脇役的存在だったが、近年の研究では公家・武家に広範なネットワークを持ち、正成もそうだった「悪党」と呼ばれた自立的武士を解く手がかり的存在らしい。

２０１７年８月18日

面白いことは平野将監重吉と赤松円心との関係が辿れることだ。そして平野将監を介して、楠木正成と赤松円心の連絡網があったとされるが、それとは別に赤松円心の重臣に兵庫御影の城主の平野備前守忠勝がいた。平野忠勝は、摂津源氏の源頼重（平野頼重）の子孫とされ、平野将監との関係も興味深い。

２０１７年８月18日

『太平記』では、新田義貞の新田氏は、源頼朝の河内源氏将軍家が実朝で絶えた後、「源家嫡流」とされ、足利氏と対抗する存在とされていた。しかし新田氏の「源家嫡流」観は『太平記』の虚構であり、新田氏は、足利氏に組み込まれた一族だったらしい。

２０１７年８月19日

新田氏の祖の源義重と、足利氏の祖の源義康は、八幡太郎こと源義家の四男の源義国の子であり、兄弟になる。足利氏は北条氏の執権体制下の鎌倉幕府においても有力な存在となるが、新田氏は零落していく。そのあたりの歴史を田中大喜『新田一族の中世』（吉川弘文館）が、取り上げているが、源義重の消息が興味深い。

２０１７年８月19日

昔聞いた落語に、万年生きるといわれて買った亀が、その日に死んだので文句を言いにいくと、その日が万年目だったという話があった。何事も、その日があり、不幸な場合は、その日に遭遇しないよう注意することだ。例えば神社の鳥居をくぐる時、扁額の留め金が腐食していて落下してくるかもしれない。

２０１７年８月19日

否定は、単なる否定であっては否定たり得ず、否定を超えた不在の肯定を、不在のまま、あるいは不在として肯定することにより可能となる。不在であることが、否定の状態であり、不在として在ることが、状態としての否定の存続あるいは実現の現実性となる。

２０１７年８月19日

理屈とはこのようなもので、現実には、具体的なテーマや素材を通じて、それを思索したり運動したり表現することになる。例えば、シェーンベルクの十二音技法は、音楽におけるその現れだ。しかし、不在の肯定、不在の肯定の存在は、いつしか存在となり、否定は肯定化され、否定が不在化する。

２０１７年８月19日

全否定といえば、アナキズムやダダイズムがあるが、それらの困難性は、否定性の遂行が、如何にして可能となり貫徹出来るのかにある。単なる否定では駄目だからであり、全否定を肯定するところの、否定ならぬ肯定の、しかし、単なる肯定ではなく、否定としての肯定の現実が必要となる。

２０１７年8月19日

アナキズムもダダイズムも、単なる否定や破壊の思いでもなければ行為でもなく表出でもない。その程度のことなら、それ以外でも可能だからだ。つまり、アナキズムやダダイズムの意志には、反神学の神学が要る。ニーチェは美学で良いと言ったが、美学では、否定を持続する疲労に勝てないだろう。

２０１７年8月19日

20世紀初頭に現れた思想や運動、表現が、どれもこれも駄目になった理由は、否定を持続する疲労に勝てなかったことにある。第一次大戦が啓示した破壊の総動員は、第二次大戦を突き抜けきれず、第二次大戦の破壊力の前に屈伏した。その結果、第二次大戦後はどれもこれも腑抜けになったのだ。

２０１７年8月19日

歴史の事実と歴史の意味は違う。例えばチンギス・ハンの歴史的事実は大殺戮だが、歴史的意味は東西交通の確立だったりする。当事者や関係者には事実が重要だが、後世の人間には事実より意味が重要になる。歴史としての現代の事象についても同様だ。

２０１９年8月19日

アマゾンのＣＭ映像で三浦瑠麗が批判的話題となっており、彼女に対する批判は、反安倍派から左派リベラルなど少なくない。テレビでの杜撰なコメントもあるが、その徴兵論を述べた『21世紀の戦争と平和』を見ると三浦は、徴兵を戦争のコストの不平等を解消するものとしている。兵営ならぬ徴兵社会主義か。

2020年8月20日

シビリアンの好戦性の指摘と徴兵制の問題は、三浦においては戦争のコスト認識とその配分にある。戦争から縁遠い存在は、それだけこの問題に鈍く、鈍いがゆえに現実知らずの激論派となり、またコストが貧富の差に左右されるという。三浦の論証とは別に、この観点はその問題圏では考える必要がある。

2020年8月20日

■小説と小説の批評の違い

小説と小説の批評の違いは、端的にいえば、小説にはどうでもいいような、しかしそれが面白かったりする細部があるが、小説の批評にはエッセンスの解析や言及があるが細部がない。つまり、批評は小説の意図や構想を知ることは出来るが、小説の細部の描写とストーリーを味わうことは出来ない。

2019年8月20日

近代の表現は、ボードレールによれば批評意識の先行性に特質がある。すると表現は批評化され、意識的に先鋭にはなるが、面白みに欠けることにもなる。ボードレールは、万座を白けさせる面白さを言い、分からなくもなく、この屈折こそが近代なのだろうが、そこに表現の職人技術との分岐もあるのだろう。

2019年8月20日

作家には、直観派と構想派と惰性派がいる。たぶん芥川龍之介は直観派であり、志賀直哉は惰性派だろう。直観派は長編が書けず、惰性派はダラダラと右往左往し、長編小説は構想派によるものとなる。むろん、どれが面白いか、また文学的であるかは、このような恣意的な分類とは関係ないが（笑）。

小林秀雄と正宗白鳥の批評を比較すると、小林の批評には詩に対するコンプレックスがあるとすれば、正宗白鳥にはそういうものは無い。その意味で正宗白鳥の徹底した散文性に対して小林の批評は詩にやられているといえる。正宗白鳥の批評の身も蓋もない散文性の妙味とは詩の不在にこそある。

２０１９年８月20日

近年、「人新生」という語と共に、人間とは無縁な地球の現実について問われているが、そんな折り篠原雅武『「人間以後」の哲学――人新生を生きる』（講談社選書メチエ）を読んだ。副題に「生きる」とあるように、人間以後の人間の生を問うている。しかしその「生きる」以後こそ、それがもたらす問題を問うべきではないのか。

２０１２年８月20日

宇宙ステーションというものがある。地球の大気圏の外で地球を周遊している装置だ。宇宙ステーションというが、そこは宇宙なのか。そうではなく大気圏の外である地球の外延にすぎないのではないか。人新世を考える場合、宇宙ステーションあたりの宇宙ではなく、少なくとも太陽系の端の現実が問題だ。

２０２０年８月20日

ジジェクの『絶望する勇気』（青土社）だが、これは、希望が潰えたならば、絶望を動員せよというゲッベルスの政治理念のジジェク版か。私は、地球など砂漠になるだろうと思っているので、

２０２０年８月22日

希望とか絶望などはどうでもいい

マルクスの思想は、資本主義の批判と、社会主義の主張において、異質なものの二本立てとなっている。マルクスが同時代の多くの社会主義者の資本主義批判と異なった点は、マルクスの資本主義批判は存在論的だったが、他の社会主義者のそれは経済政策的だったことだ。（＊276頁参照）

２０１８年8月23日

海の神である住吉三神（住吉大神）と神功皇后を祀る大阪の住吉大社に、「浜祈祷」の古い石碑がある。これは、鎌倉時代の蒙古来襲（元寇）の際に、蒙古撃退の祈祷を、大阪湾の住之江の浜で、海の神である住吉神に対して行ったのだろう。嵐を起こす祈祷に対して、嵐を鎮める祈祷もあるはずだ。

２０２０年8月23日

紫式部の『源氏物語』には、そのような住吉神が描かれ、光源氏の住吉大社へのお礼参りの段がある。嵐を鎮める祈祷があるなら、台風を鎮める祈祷やお守りはないのだろうか。それとも、そのようなことをしても台風が飛来したならば、ご利益の問われるためやらないのだろうか。

２０１８年8月23日

マルクス・エンゲルスの『ドイツ・イデオロギー』の本論の半分以上はシュティルナー批判だ。それほど彼らにはシュティルナー問題が大変で悪戦苦闘したのだろうが、そのシュティルナー批判は完全な的外れ。シュティルナーの思想の読解は、当時のドイツ語の一人称を……（＊277頁参照）

２０１８年8月23日

介護の現場にいる人は、とっくの昔に知っていることかもしれないが、被介護の人の入浴で身体

２０２０年8月24日

を洗う時、昔、ソープランドにあった（今はどうなのか知らない）、あのスケベイスと呼ばれた椅子は意外と重宝するのではないだろうか。被介護の人は、中々、立ったり座ったり出来ないからだ。

２０２０年８月25日

シュティルナーの主著は『唯一者とその所有（Der Einzige und sein Eigentum）』だが、その英訳タイトルは「The Ego and Its Own」となっている。これは明らかな誤訳ではないか。Einzige は、Ego とは異なるからだ。おそらく、このような誤訳が……。

２０２０年８月25日

■男系血統論は儒教の理念であり中国のものである

この御仁も相当なアホだといわざるをえない。男系血統論は儒教の理念であり中国のものであっても日本のものではない。もし日本のものなら、なぜ天孫降臨したニニギ命は女性である天照大神の神勅を受けたのか。男系なら天照の夫の神勅を受けるべきだろう。すると男系論者は天照は男だと言い始めた（笑）。（＊「女系天皇容認なら、それ以外が完璧でもダメだ。……」竹田恒泰）

２０２０年８月26日

日本は、近現代史をあまり教えないと、しばしば批判的に言われるが、近代に帝国主義化した国は、大抵、そのようなものだ。フランスはアルジェリア戦争もベトナム戦争も教えないし、ドイツは現代史については詳しいナチス批判の教材を作っているが、どこまでやるかは現場の教師の判断に委ねられる。

２０２０年８月27日

コジェーヴによる『ヘーゲル読解入門』等のヘーゲル『精神現象学』の解釈がしばしば肯定的に引き合いに出されるが、コジェーヴでヘーゲルを語らせて良いのか。またヘーゲルは『精神現象学』でカタがつくのか。コジェーヴにしろ『精神現象学』にしろ、そのようなものはヘーゲルには前座でしかないだろう。

2019年8月27日

近代を超えようとする思想は、古代へ向かい古代を手がかりにしようとする。西欧なら古代ギリシアでありヘーゲルやヘルダーリンからニーチェやハイデガーもそうだが、古代には何があるのか。近代を市民社会的な私性とするならば、それを超えるものといえる。しかしそれで近代は超えられるのか。

2020年8月28日

市民社会の問題は、その発展的展開においては超えられないところがあり、その私性を超えるには共的なものが不可欠とされるが、人間が歴史において持ち得た共的なものの痕跡が古代にしかなく、ニーチェやハイデガーとは異なるが、マルクスやバクーニンからアーレントやネグリまで同じような状況に遭遇している。

2020年8月28日

安倍が首相を辞任。いろいろと批判され、最悪の首相とまでいわれたが、もっと質の悪い首相が出てくるだろうし、安倍よりも最悪な候補者としては小泉進次郎もいる。

2020年8月28日

ニーチェの超人論には様々な解釈があるが、結論的にいえば、実体的な超人ではなく、意味的な超人であり、その意味をどう捉えるかということになっている。しかし、グローバル化により、国民や民族や人種のようなレベルを超えて人間そのものが他者の不在に直面した現在、実体的な超人は現実化しないか。

分かりやすい例を一つ上げれば、シンギュラリティがいわれるＡＩだ。人口知能が人間を超え、人間から独立した存在になる場合だ。他にも、まだ遭遇していないが、最低でも人間と交流出来る知能を持った地球外生物との遭遇があり、また人間の遺伝子の操作もあるだろう。

２０２０年８月29日

グローバル化以前では、人間は身分や階級、国民、民族、人種その他、様々に区分された本質的な地域的存在であり他者を持っていた。しかし商品の汎地球化により他者は、商品の交換価値的多様さに吞み込まれてしまい他者ではなくなった。人間は地球という孤島のロビンソン・クルーソーになってしまった。

２０２０年８月29日

思想には、追い詰め型と、強いられ型があるように思う。吉本隆明の本を読むのは何十年ぶりだろうか。『初期歌謡論』以降の吉本は、ただの現状のチンドン屋にすぎないと思うが、吉本のシモーヌ・ヴェイユ論は目を通してみようと思った。追い詰め型のヴェイユを、どれだけ強いられ型に改変しているか。

２０２０年８月29日

「保守主義」なるものがあるが、保守とは「主義」ではないところに本質があるのではないか。保守思想の ルーツはイギリスのバークだと思うが、それによれば、保守とは「知恵」の思想であり、「主義」というような思想の在り方とはおよそ異質だ。その意味で保守主義は保守思想ではないとさえいえよう。

２０２０年８月30日

２０２０年８月31日

安倍が首相を辞任したからではないが、原彬久『岸信介』（岩波新書）を再読。60年安保の時の首相であり、若い頃に北一輝や大川周明の影響を受け、『資本論』も読み、国家社会主義的な視点を持ち続けた岸だが、満州国から戦時、戦犯、戦後55年体制という岸の生涯は当時の日本史の実存でもある。

２０２０年8月31日

II

哲学問答 詳論

変革のための総合誌『情況』
2009 年 8・9 月号の表紙

◇3月　ユンガーと伝説の編集者との出会い

●最近のエルンスト・ユンガー研究

最近のドイツでのエルンスト・ユンガーの研究において初期ユンガーを取り上げたものが少なくない。初期ユンガーとは、『鋼鉄の嵐の中で』からナチス体制前夜の『労働者』までのユンガーだが、戦後のユンガー研究においては、初期の著作は、戦争肯定やプレ・ファシズム性という観点から、もっぱら批判され、ナチス時代に書かれたナチス批判の寓意小説とされた『大理石の断崖の上で』や、戦争期の日記である『庭と道』『パリ日記』等を経て、肯定的な評価は、もっぱら戦後のユンガーに注がれていた。

戦後のドイツ文学は、トーマス・マン、ヘルマン・ヘッセ、エルンスト・ユンガーの三頭体制と評されたりもしたが、最も激しい論争の対象になったのはユンガーだった。例えば、1956年刊行の『岩波小辞典・西洋文学』の「ユンガー」の項目を見てみよう。そこには「現存の作家中もっとも問題性の多い人とされる」とあり、次のように記されている。

「第一次大戦中の手記『鋼鉄の嵐』（1920年）で才能を認められた。そこには平穏な市民生活への絶望を積極的な力に転換しようとする意図、その行動性がしめされ、戦争肯定の思想が洗練された精力的な文体で表現されている。はじめ指頭するナチズムの指導的作家と見なされたが、やがて小説『大理石の断崖の上で』(1939年)によってナチズム批判とヒューマニズム誕生の神話を象徴的にかたり、国内での抵抗文学のもっとも重要な記念碑をのこした。第二次大戦後発表した戦争中の日記、紀行文は、彼の戦犯論とともに論議の的になったが、『平和論』(1948)はとくに有名である。なお長編に未来小説『ヘリオポリス』(1949年)がある。行動的ニヒリズムから唯美主義に転じ、象徴的表現の魔力をもった文体で形而上学的世界を透視する予言者の風貌を示している。」

ここでは戦争肯定の立場からヒューマニズムへの転換が提示されているが、もとより問題は、それほど簡単なことではないことは、1982年、ユンガーが87歳でゲーテ賞に選ばれた時、ユンガーを「戦争肯定の非転向ファシスト」と見なし、彼への授賞反対の動きがあったことでも分かる。戦後におけるユンガーをめぐる激しい論争やユンガーに対する毀誉褒貶半ばする評価についてはカール・O・ペーテルやゲルハルト・ネーベルその他の戦後当初のユンガー論等が詳しい。

戦後のユンガー研究としてはゲルハルト・ローゼ『エルンスト・ユンガー――形態と著作』(1957年)やハンス゠ペーター・シュヴァルツ『保守のアナキスト――エルンスト・ユンガーの政治と時代批判』(1962年)その他、数多くあったが、初期ユンガーは戦争肯定から批判され、後期ユンガーは平和志向から肯定されるという多くのユンガー評価の傾向を転換させたのは、カール・ハインツ・ボーラーの大著『驚愕の美学――ペシミスト的ロマン派とエルンスト・ユンガーの初期の作品』(1978年)だろう。ここでボーラーは、初期ユンガーの著作を取り上げ、それまでのユンガー論は、彼の作品のイデオロギー批判的な読解のみにかまけ、ユンガーの文学の美的様式を全く無視してきたと批判した。ボーラーによれば、ユンガーは思想家である以前に作家なのであり、作家としてのユンガーに着目しなければならないとしてユンガーの表現様式の本格的な解析を行った。

ボーラーによれば、ユンガーは、ドイツの世紀末から現代にかけてのデカダンスとそれ以降のドイツ文学の美的様式を体現した数少ない、あるいは唯一の担い手であり、そしてユンガー文学をドイツ独自の超現実主義であると規定し、また初期ユンガーとベンヤミンとの通底性を指摘した。ボーラーの初期ユンガー論の特徴としては、『鋼鉄の嵐』等の戦争作品や、ボーラーがユンガーの文学的宣言書にも等しいという『冒険心』をとりあげていることと、多くのユンガー論と異なり後期ユンガーへの評価が低いことであり、『労働者』を後期ユンガーへの第一作と位置付けていることだろう。このようなボーラーの初期ユンガー論に対しては、ラインハルト・ブレンネケ『好戦的モダニズム――エルンスト・ユンガーの初期作品の比較研究』（１９９２年）による強い批判もあるが、ボーラーのユンガー論の特徴は、ユンガーの作品の文学的な考察を試みたことだろう。ユンガーは作家だが、意外なことに彼の作品を取り上げた研究や考察、批評は少なく、もっぱらユンガーとは何者なのか、彼は何をしたのかという作家論やユンガーの人物論が大半だったのだ。それはユンガーの強烈な個性や激しい足跡の結果でもあるだろうが、その結果、『大理石の断崖の上で』の文学的内容を解析したフォルカー・カッツマン『エルンスト・ユンガーの魔術的リアリズム』（１９７８年）がいうように、ユンガーの文学は置き去りにされてきたといえる。

ただ、ユンガーを単に作家と見なして良いのかという問題もある。というのもクレット・コッタ社刊行のユンガー全集を見ても分かるが、ユンガーの著作において大きなスペースを占めるのは、日記や紀行文、エッセイ、思想論だからでもある。

ところで冒頭に述べた近年の初期ユンガー研究のことだが、例えば私の手元にあるものを、思いつくままに並べてみても次のようなものがある。ヨハネス・フォルメルト『エルンスト・ユンガーの『鋼鉄の嵐の中で』』（1985年）、クラウス・ガウガー『戦士、労働者、森を行く者――無政府者エルンスト・ユンガーの戦士的初期作品』（1997年）、マンフレート・メンゲル『戦士の本質――エルンスト・ユンガーの初期作品における魔術的視点の戦争と技術』（2005年）、イェルク・シュナッツ『戦争と内戦の息子――1920年―1965年のエルンスト・ユンガーの著作における同時代性と集合的記憶』（2013年）、ライナー・ヴァイスナー『最後の良心――エルンスト・ユンガーの初期作品における信仰と経験』（2015年）、ハンス・フェルボーフェン『イデオロギーとしてのメタファー――エルンスト・ユンガーの初期作品における戦争暗喩化の認知・意味論的分析』（2003年）、ノルベルト・ディエトカ『「労働者の支配と形態」でのエルンスト・ユンガーの構想』（2016年）、ペーター・トラヴニー『目撃証人の大家――エルンスト・ユンガーの政治的著作』（2009年）。

このような初期ユンガーへの取り組みは、ボーラーが示したように単なるイデオロギー批判的な読解では看過してしまう初期ユンガーの表現や思想の持つ可能性や問題を、より詳細に明らかにしていくだろう。

2019年12月14日

●ハイデガーとユンガー

第二次世界大戦後、執筆禁止処分を受けたエルンスト・ユンガーと、教職追放処分を受けたハイデガーは、それぞれの還暦記念論集にニヒリズム論を寄稿している。ハイデガーの還暦記念論集に寄せられたユンガーの『Übe die Linie（線を越えて）』と、ユンガーの還暦記念論集に寄せられたハイデガーの『Über 'die Linie'（「線」について）』（これは後に『Zur Seinsfrage（存在の問いへ）』と改題される）である。二人のニヒリズム論の背景には、いうまでもなくナチス体験があり、さらにその前の第一次世界大戦の体験があるだろう。

ハイデガーの論考は一個のユンガー論とも見なし得ようが、ハイデガーは、ユンガーの論考を「状況判断」と規定し、自己の論考を「在所究明」と言う。そのような二人のニヒリズム論については、多くの場合、ユンガーはニヒリズムの「超克」を述べ、ハイデガーはニヒリズムの「耐忍」を言ったと理解されている。そして「超克」とは形而上学であり、それこそがニヒリズムなのだから、ユンガーの立場はニヒリズムであるとされる。このように理解されるハイデガーのユンガー観については、ハイデガーのニーチェ論と重ね合わせてみればよく分かるだろう。

ニヒリズムをめぐる二人の論考は、ハイデガーのユンガー批判という内容で理解されている。これは、二人のニヒリズム論に言及する者が、ほとんどハイデガー研究者であり、事態をハイデガーの側から、言ってよければ一面的にしか見ていないため当然と言えるかもしれない。逆にいえば、日本ではユンガー研究者は片方の指で数えられるほどしかいないことも関係していよう。二人の本国のドイツでもハイデガー研究者たちの理解は、おおむね上述したものと大差はない。ハイデガーはナチス入党の前後にユンガーの『Der Arbeiter（労働者）』の強い影響を受けるが、その後、それと距離を置き、批判するようになったという理解である。まさにハイデガーの「ユンガー体験」は、彼の「ニーチェ体験」の同時代人版といえなくもない。これに対するユンガー研究者の側からの反論は少しずつではあるが登場しつつある。

ところで、二人のニヒリズム論は、本当にユンガーがニヒリズムの「超克」を言い、それに対してハイデガーはニヒリズムの「耐忍」を対置して批判したと理解していいのだろうか。

ハイデガーはユンガーの「記述（Beschreibung）」という性格に留意しているが、ユンガーの文の特色は、何かの「主張」ではなく、事態の「記述」であるところにある。ヴァイマール時代のユンガーに対していわれた「時代の地震計」とは、まさにこのことであり、「エルンスト・ユンガーは、あらゆる種類の彼の政敵たちがたとえ何と言おうとも、彼が〈梁の木組みのみしみしいう音〉と名づけたところのもの、とはつまり私たちの文化のみならずあらゆる世界文化の〈零点〉におけるマイナス1とプラス1との間の奇妙な揺れに対する嗅覚をいっかな失ったことはなかった」（グスタフ・ルネ＝ホッケ『絶望と確信』）といわれたことだ。

では「記述」とはどのような行為なのだろうか。簡単に言えば、状態や事態を言葉に写すことだと言ってもいいだろう。あるいは、言葉による写真とでも言えようか。つまり、記述されてあること、写真となっていることは、記述した者の主張ではないということだ。むろん記述者の選択もあるだろうという異議があるかもしれないが、それは今は脇に置いておくとして、ユンガーの場合は、時代の地震計と評されたところに彼の状況記述の正確さを見てもいいだろう。

そうであるとするならばユンガーの言う「線を越えて」とは、ユンガーの主張や立場ではなく、状況記述だということになる。つまりユンガーは、ナチスとしてのニヒリズムの時代が終焉し、ポスト・ニヒリズムとしての兆候を記述していると言える。ユンガーに向けたハイデガーの言葉には、どちらとも受け取れるような曖昧な文言もあり、ハイデガーの真意は辿りにくいが、ハイデガーはこのようなユンガーを理解しているような箇所もあり、素直に読めば、それを前提として自分はニヒリズムの臨界線の在所究明をしているのだと受け止めることも出来よう。

ところで、ならばニヒリズムの状況判断としての記述が出来る者とは、何処にいるのだろうか。いうまでもなくニヒリズムの只中においてであり、そしてニヒリズムの中に留まっているからこそ記述も出来るのである。とするならば、ハイデガーのいうニヒリズムの耐忍とはユンガーの在り方であり、在所究明とはユンガーの居場所の究明といえなくもないだろう。

ここで想起する必要があるのは、彼らのニヒリズム体験の現実だった第一次世界大戦である。それは総力戦であり、そこに広がる現実は、全面的な死の世界であり、出現した無といえよう。この現実に対してユンガーはその只中の「最前線」におり、ハイデガーは、現実の後方に、「銃後」にいたということだ。ハイデガーは『存在と時間』において「死へ臨む存在」を言う。ということは、まだ生きており、死んではいないことでもある。それに対してユンガーは、言ってよければ「死んで『いる』」のである。なぜなら戦場という場におけるユンガーは一人の人間（個人）ではなく、所属、階級、任務によって役柄化・構造化された、戦死する存在であり、戦死している存在としての兵士・軍人だからだ。ユンガーの言う「Gestalt（形態）」とは、出現した死であり、いわば全員戦死した兵士・軍人としての人間の死体の Sein だということでもある。分かりやすく言えば、ハイデガーは、生から死を見ているのであり、ユンガーは死の只中に居るのだ。これが彼らのニヒリズム体験の有り様だとすれば、ニヒリズムの只中で耐忍しているのはユンガーであり、そしてだからこそニヒリズムの状況判断の記述も出来るのだと言えるのではないだろうか。

ところでフィリップ・ラクー＝ラバルトの『ハイデガー　詩の政治』の訳者の西山達也氏は、ラクー＝ラバルトの「タイポグラフィ」という文で取り上げられている「形態」もしくは「形象」概念に触れて興味深い解説を書いている。この概念が重要なのは「ハイデガーとユンガーの関係を考えるうえで決定的な重要性をもつからである。」

ハイデガーは何度かユンガーの『労働者』を彼のゼミで購読しているが、やがてハイデガーは「ユンガーのニーチェ主義的側面」を見ることになる。しかし、ラクー＝ラバルトによるとハイデガーはユンガーの「形態」のニーチェ主義＝プラトン主義性を言うのだが、それはどこまでユンガーの「形態」の本質を言い表しているのか。むしろハイデガーがユンガーに指摘し批判したことはハイデガー自身にも当てはまり、ハイデガーは自らには盲目だったのではないか、というのが西山氏が要約解説するラクー＝ラバルトのハイデガー解釈である。

この件について私はここで結論を出すつもりはないし、そのような理論的準備もない。ただ、ユンガーとハイデガーの関係は、世に出回っているハイデガー関係本に書いてあるような簡単なものではないことだけは述べておきたい。

２０１３年２月13日

●パリ１９６８年と闘争における瞬間と持続

私は西川長夫氏とは直接の交流はないが、西川氏が教授をしていた立命館大学の看板学部ともいうべき国際関係学部を卒業し、奇特にも私の愛読者という女性の挨拶を去年の大阪心斎橋でのトークイベントで受けたり、九州で政治学教授をしている正統派ファシストである畏友が西川氏と交流があり、私自身は西川氏のドリュ・ラ・ロシェル論やボナパルティズム論には早くから親しんでいたことなどから、勝手な親近感のようなものはあった。

西川氏が「パリ五月」というフランスの68年革命について述べているのを、私がリアルタイムで初めて知ったのは、京大新聞だったと思う。当時、私は高校生で、関西では最年少のアナキストで、その後、日本アナキスト連盟の激しい批判者になるが、当初は連盟員ではなかったものの機関紙『自由連合』の定期購読者だった。臍曲りの私は、私をオルグしようとした解放派の反帝高評やブント系の府高連をすべて袖にして、アナキズムを選択したのだった。理由は、革命は肯定していたが、ソ連、中国その他の既存の社会主義圏に対しては、世の反共主義者に勝るとも劣らないほど批判的であり否定的だったからであり、解放派のローザ主義やブントのボルシェヴィズムでは真の批判は不可能であり、本家本元であり元祖のマルクスを批判しなければならないと思っていたからだった。

しかし、68年当時においては、アナキズムは新左翼の世界でも、とっくに歴史から姿を消し、いうなれば革命運動の時代劇的存在か懐メロ的なものと思われていた。ところが上記の『自由連合』が伝えるフランス五月革命によると、激動の渦中には赤旗と共にアナキズムの黒旗が翻っており、運動のリーダー的存在だったダニエル・コーン＝ベンディット（当時は、ダニエル・コーン＝バンディとして知られていた）自身がアナキスト系であり、スペイン革命により歴史から姿を消したと思われていたアナキズムが再び登場したことに軽い興奮を覚えたものだった。その後、私は日本アナキスト連盟を激しく批判し、日本アナ連をアナキスト版の代々木とすれば、アナキスト版のブントともいうべきアナキスト革命連合（ＡＲＦ）の結成に加わるようになる。

話をフランス五月に戻せば、フランスの事は、カルチェ・ラタンの地名と共に概要は日本にも届いていたが、その詳細については、私だけではなく、当時の日本の全共闘や新左翼もさほど知らなかったのではないだろうか。その意味でも絓秀実による日本の「１９６８年」論と同時代のフランスの68年を取り上げた西川氏の著書は興味深かった。

『パリ五月革命 私論』は「私論」とあるように、当時、フランスに留学していた西川氏が体験したパリ五月革命の記述と、西川氏が自身のカメラで写した写真からなる個人的なドキュメントと、それについての後日の考察からなっている。

ここでは、同書での知識人の考察を読みながら勝手に思ったことを思いつくままに書いてみたい。それは革命と党の問題だった。つまり党は革命において、また革命に対して、何をやり、どのような存在なのかということだ。もう少し分かりやすくいうと、現実に対する否定とはどういうことかということでもある。例えば、現実の全否定は思想的には可能かもしれない。しかし、そもそも否定ということは何をバネとして、あるいは根拠として行われるのだろうか。あるいは、一瞬の全否定と否定の持続の問題といえばいいだろうか。否定は一瞬であれば否定そのものとして可能だろう。例えばベンヤミンの衝撃論や、K・H・ボーラーがユンガー初期の戦争作品に解析した突発や衝撃の表現は文学的な分かりやすい例になり、現実的にもパリ・コンミューンやロシアのクロンシュタットの蜂起など無数の反乱的蜂起に見ることが出来る。

ならば、否定の持続はどうなのか。なぜなら現実は持続するからだ。この持続ということを考えない限り、現体制としての現実に対する否定として生起し発動する革命は、必ず現実に敗れるだろう。事実、パリ五月革命や日本の全共闘運動に限らず、革命や革命的闘争は必ず持続する現実に敗れている。それに対抗するために革命の党が革命を持続させるという立場があり、歴史的にはボルシェヴィキによって代表されるが、現実という白蟻によりスターリン主義という革命の廃墟を作り出したにすぎなかった。そこから左翼思想の中に党否定のマルクス主義が登場し、マルクスの言葉と思想で語られるところの無意識のアナキズムが登場したりもし、昨今の文化左翼はそうした現象といえるだろう。

しかし、革命的状況が不在の現実において革命を思想的に持続させるのは党的立場以外にはない。世の中がバブル的な好景気で誰も彼もが資本主義的金儲けに熱狂している時、そのような資本主義の否定としての革命を持続させるのは党であり、個人においても党的立場のみだろう。

パリ五月革命は、党派的にではなく本質的に伝統的な意味でのアナキズムの革命だったのだと思う。ついでにいえば、日本の全共闘もその意識がどうであれ、本質的にアナキズム的だった。そしてだからこそあえて敗れるという言葉を用いるならば敗れたのだろう。アナキズムは、日本仏教でいえば、浄土宗や浄土真宗、日蓮宗その他のような宗派を形成せず、融通念仏や踊り念仏のような運動形態であったため衝撃として発現するが、高揚の波が一段落した後の持続の内的論理も組織的現実もない。

その中でバクーニンはまだ初期的な直感によってだろうが、後のアナキズムにおいては否定されるべきものとされる、党と独裁の論理を提出している。バクーニンは革命組織についてはブランキ派のヴァイトリングの影響を受けているから、多分にブランキ的な要素があり、後にレーニンは、第二インターのカウツキー的マルクス主義を批判するためにバクーニン・ラインの暴力革命路線の革命組織と革命家独裁論を、そのマルクス主義の中に密輸入することになる。そして革命を持続させる機関としての党の立場を確立するが、そのマルクス・レーニン主義が持続させたのは革命ではなく革命の廃墟にすぎなかった。

党不要の瞬間の衝撃的蜂起で終わるのか、党による革命の持続の名による革命の廃墟化で終わるのか。革命史では前者はスペイン革命に、後者はロシア革命に代表され、日本でいえば、前者は全共闘的なものであり、後者は党派の内ゲバになるだろうか。しかしいうまでもないが、問題は前者を肯定し、後者を否定することではない。

これは私見にすぎないが、マルクス的な党に対してバクーニン的な党には興味深いところがある（バクーニンは党という語は使わず、同盟と言っているが）。それはマルクス的な党は、前衛党であり、革命後も革命の根拠（革命の一手専売）として持続するが、バクーニン的な党は、前衛党ではなくせいぜい参謀であり、また革命後は革命の根拠として持続しないことだ。前衛党でもなければ、革命権力の担い手でもないのに党的であるところがポイントではないだろうか。このようなバクーニン的な党的組織についてはアナキズムは、バクーニン的逸脱と批判するか完全無視であり、マルクス主義はバクーニンをもアナキズム一般に還元してしまっている。しかし、この前衛党でもなければ、権力の担い手として持続もしない革命党というのは予想外に可能性を秘めているのではないかと私念《しえん》している。

以前、スターリン主義でもなければトロツキズムでもなく、「トロツキーのスターリン主義」ということを、機会を見て書いたことがある。近大での大学院のゼミの後の呑み屋の歓談で絓秀実はそれを、初期のボルシェヴィズムだろうと言ったが、私流にいえば、バクーニン的な党のことだが、『国家と革命』の頃のレーニンは、プレハーノフら古参のマルクス主義者から「バクーニン派」として批判されていたことはそのあたりの歴史的消息かもしれない。

２０１３年３月10日

●メルケル首相の来日とドイツの歴史的過去への「直視」と「反省」

＊戦後の日本とドイツといえば、戦争期の同盟国の戦争に対する姿勢がこれまでも何度も比較されてきた。以下は、それに関連してTwitterに書いたことを転載。あえて注釈を加えれば、思想的というより政治的な視点になっている。

＊聞くところでは安倍首相は「ドイツのような謝罪はしない」とのことらしいが、もしそうなら安倍首相もそれを批判する中国当局も同じ間違いをしている。もしヴァイツゼッカー的な立場がド

イツのそれなら、日本は真似たらいい。それは「人類」への謝罪であり、近隣国への謝罪ではなく、先に謝罪した方が勝ちだからだ。

＊世界は誤解しているが、ドイツはホロコーストへの反省と謝罪はしているが、戦争や戦争に関連した所謂残虐行為には一切反省も謝罪もしていない。ホロコーストは人類への「犯罪」とされ、戦争に関連したものではないことだ。つまりドイツは、ドイツの「南京」や「慰安婦」問題は相手にしていない。

＊ドイツ式にやるのなら、韓国や中国に植民地支配や慰安婦、南京虐殺などを謝罪するのではなく、人類に謝罪するのだ。人類が視点となれば、韓国や中国も謝罪問題を抱えていることが普遍的にあぶり出される。隣国ではなく人類への謝罪の意味はそこにあり、このあたりがドイツの巧みなところだ。

＊ドイツのメルケル首相が来日しているが、日本がドイツに学ぶべきところがあるとすれば、前にも言ったが、歴史への反省や謝罪のやり方だ。ドイツはホロコーストについては反省や謝罪はしているが、戦争行為による虐殺その他については一切していない。また謝罪は人類に対して行い、隣国への謝罪ではない。

＊ただ問題なのは、欧州にはキリスト教の懺悔に基づく謝罪文化があるが、アジアにはそれがないことだ。謝罪文化があれば、謝罪そのものに超越的な意味があるが、なければ謝罪は超越性を持たず、現実での不利な材料になる。他国には謝罪を求め、自国は謝罪をしない中国や韓国は、まさにアジア的でもある。

＊にもかかわらず、日本は隣国やアジアを超えて人類に対して自己反省をすればいい。人類への反省は本質的に形而上性を持ち、メタ次元のものとなる。そしてそうであれば、反省は日本だけで

はなく、他国も必要であり、反省しないことは罪となるからだ。
＊ドイツ人は「我々は過去を直視し、真摯に反省している」と言う。メルケル首相も言うだろう。しかし、彼らのいう過去は、ホロコーストに関することであり、戦争に関することではない。ナイーヴな日本人は、ドイツに学んで過去を直視して……と言うが、日本がドイツに学ぶのはそんなことではない。
＊日本は、人類に対して過去を直視して反省すれば、日本の反省は普遍性を帯び、普遍性を帯びたならば、日本以外の国も、日本に倣って、日本に続く反省が隠然と求められることとなる。チベットやウィグルに対する中国、ベトナムでの韓国は、無視を決め込むことも出来なくなる。これがドイツ式の論理だ。
＊謝罪文化が可能になるためには超越的な要素が必要であり、欧州ではキリスト教がその役割を担っている。超越的な要素とはフェアな視点を可能にし、日本では明治期に、一神教の代替として創られた「天皇制」がその代わりであり、日本が謝罪したり敗北に美学を求められるのも、天皇制に依る超越性ゆえだ。
＊超越性は、権威と権力の分離から生じる。欧州では、法王と皇帝や国王との関係であり、日本では、天皇と関白や将軍との関係だ。これが近代を可能としたのだが、中国や韓国では、権威と権力は一体であり、権力を超越した権威が無い。この違いはかなり大きいだろう。
＊超越性のないところでは、勝敗や損得を越えた現実がなく、全ては勝敗や損得が基準となる。そして敗北や損をすることは否定されるべきものでしかない。だから超越性の無いところでは、敗れたり損をしたならば被害感情しか生まれない。そして被害感情からは近代は不可能だということだ。
＊ドイツ式の過去直視と反省や謝罪の論理は、それを人類的に普遍化することで、超ドイツ的な

ものとし、また普遍的基準とする。ドイツ以外は、ドイツに続いて過去直視や反省、謝罪が求められるが、そんなことはやりたくないので誰もドイツのことはとやかく言わなくなり、むしろドイツを称える案配となる。

＊日本も人類的な過去の直視と反省をすればいい。「日本は悪くない」式の論理は通用しない。通用しなければ問題を大きくすればいいのだ。日本の過去直視や反省が普遍化したならば中国や韓国も謝罪が求められるが、彼らは謝罪などしたくはあるまい。そのためには日本の過去など黙認する以外になくなる。

＊日本の弱点は、問題を小さくしようとするところにある。それで穏便に解決しようというわけだが、国内ならともかく、世界では通用しまい。世界では問題を大きくした方がいい。大きくすれば形而下な現実ではなくなり、形而上性を帯びるからだ。そうなれば本質が問題となり、個別の現実は副次化する。

＊ドイツは、一方的に人類に対して形而上的な反省をするのであり、近隣諸国に対する反省や謝罪は公的にはしない。だから、日韓における当該国関係だけの歴史認識のような問題の在り方は、ドイツが最も嫌うものだろう。日独共同記者会見で質問する日本の記者はそのあたりが分かっていない。

２０２０年３月10日

●松田政男と戦後のアナキズムの異端の界隈

１９７０年代前半に『映画批評』という雑誌があった。映画評論家という職業肩書きの松田政男さんが編集者で、大島渚や唐十郎から竹中労、平岡正明、太田竜、さらには川本三郎その他の人たちの映画批評が掲載されていた。その『映画批評』に1970年4月に反安保闘争で東京に来て、そのまま居ついていた私に、松田さんから連絡があり、原稿を書けといわれ、錚々とした人たちに混じって、当時、21歳で、しかも大阪から来た高卒のアナキストの、その意味では、何の思想的実績もなく、批評的な仕事もしたことのない私が、原稿を連載することになったのだ。

松田さんが私に連絡をくれたのは、1969年に十代の私がまだ大阪で、アナキスト革命連合（ARF）やアナキスト高校生連合（アナ高連）で活動していた頃、松田さんの『テロルの回路』という著書に接し、そこにあるマルクス主義者でありながらもアナキズムに対する強いシンパシーに、強い影響を受けたのだった。

当時の私は、アナキズムといっても幸徳秋水や大杉栄ではなく、むしろ大杉死後の、中浜哲らのギロチン社からアナルコ・ボルシェヴィキ的な無政府共産党、パルチザン闘争を志向したとされていた農村青年社の方に強い関心を持っていた。また、ロシア革命についても、ヴォーリンの『裏切られた革命』におけるクロンシュタット反乱やマフノ運動に対するボルシェヴィキの「反革命」的策動に対する告発的な批判には満足出来ず、ボルシェヴィキをして「アナキストに裏切られた」と泣き言を言わせるような運動を、アナキストのヘゲモニーにより形成し、展開しなければならないと考えていた。そしてそのようなことを、ガリ版で自製した100頁ほどの原稿を黒党社小冊子『無政府主義』に書き、松田さんにも送ったのだった。その小冊子については、『読書人』紙で松田さんが「無政府主義の新たな黎明」として紹介してくれていたらしいが、私は露知らず、そのまま再び、アナキズム活動に従事していた。

1970年に反安保闘争で東京へ来たが、そのまま東京に居り、東京の麦社系や早稲田の反戦連合界隈のアナキストだけでなく、大阪の浪人共闘（浪共闘）以来の知り合いで、現在も交流している川嶋康裕ら上京組の反帝高評（解放派）やブントの連中と交流していた。そんな折の１９６６年に日特金（日特金属工業）の田無工場に突入したべ反委（元ベトナム反戦直接行動委員会）の笹本雅敬氏（当時は、テックの谷川雁の処にいた）を通じて、三一書房編集部の人を紹介され、何か一文を書いてみたらどうかと言われたのだった。70年の反安保闘争も過ぎ、自分のアナキズム活動の総括の必要性も感じていた私は、約３００枚ほどの文章を書いた。内容を見た三一書房の小木曽泉氏は、当時、新左翼系の若者に人気のあった思想・運動誌だった『情況』の編集部柴田勝紀氏に紹介し、１９７２年の同誌の「アナキズム特集号」に「無政府主義革命の黙示録」と題した看板論文として掲載されたのだった。ただ、雑誌掲載のため、元の３００枚ほどの文章は、半分の１５０枚ほどに削らなければならなかった。

松田さんはその文を読み、「その後、遥として行方不明の未来のアナキスト」として紹介してくれていた私に、さっそく連絡をしてきてくれたのだった。最初にいわれたことは、三日しか日はないが、若松孝二監督の『天使の恍惚』に関係して何か一文を書けということだった。結果、５０枚の原稿を書き、「国家を撃つテロルの地平」として同誌に掲載されたのだった。そして松田さんは原稿を連載しろと言い、それに関して幾つかのアドバイスをしてくれた。後に、私は「独学・独断・独行」として書評紙に人物紹介されることになったが、その意味では、松田さんが、ほぼ完全な独学者でもある私にとっては著述上の師といえばいえるかもしれない。

私の原稿が一定の量となると、松田さんの紹介で、三一書房から別れてきた田畑書店から単行本として刊行されることになった。それが22歳から23歳頃の『歴史からの黙示』だった。内容は、当時の既存のアナキズムへの全面批判とアナキズム革命に向けた形而上学的カテキズムのような内容だった。松田さんは、さっそく『図書新聞』に長い書評を書き、私との出会いにも触れ、私の初印象を「狷介孤高の白面の青年」と記していた。ちなみに、ここにプロフィール写真として出ているものは、その頃の私であり、これは『読書人』紙の「思想のヤングパワー」という連載コラムにおいて、松本健一、山口文憲、津村喬に続いて私が「戦後最年少のイデオローグ」として取り上げられた時のものになる。

『映画批評』に原稿を連載したおかげで、私は20歳そこそこの若輩であるにも関わらず、フランス映画社やイザラ書房その他の社主と知り合い、また『図書新聞』編集長だった大輪盛登さんにも可愛がっていただき、一面を含め、何の学問的背景もない高卒の独学者である私に思想関連の著書の書評を書かせてくれたのだった。

『情況』誌は、哲学者の廣松渉氏が最初の軍資金を出し、ブント系の関係者が編集・発行したものだったが（数年前、今は九段にある情況編集部を訪ねたところ、編集室に廣松さんの大きな写真が掲げられていた）、『映画批評』誌と比べると、こちらはガチ思想という感じで、やはり錚々たるマルクス主義者が執筆陣として名を連ねていた。そんな中に、反マルクス派のバクーニン主義者である私が、アナキストとして孤軍奮闘することが出来たのは廣松さんのおかげだった。私のアナキズムは、市民的でノンセクト的なものではなく、党派的で活動家的なものであり、その意味では、マルクスではなくバクーニンによるボルシェヴィズムという様相があり、思想的には原理的なまでの反マルクス派だったが、感覚的にはブントとも親和性があったのかもしれない。また、私がファシズムに関心を持つ発端もこの、反マルクス的なブントというあたりにあったのだろうと思う。

ちなみに、ドイツ語のブント（Bund）には、ファシストという外延的な意味がある。廣松さんは、私の、ある種、形而上学的な教条性を持つアナキズムに注目され、革命理論の再構築が求められていた時期に、マルクス主義者に混じってバクーニン主義者も居た方が面白いと思われたのだろう。とまれ、このような個人的な過去話のようなことを書いたのは、前回、アナキズムの古い資料が出てきたと書いた時、べ反委の元メンバーだったノンフィクション作家の朝倉喬司をはじめ、背叛社にいた牧田吉明、また絓秀実が『１９６９』（ちくま新書）で、頁を割いて詳しく触れている山口健二など、私のアナキズムにある影響を与えた松田政男さんの周辺にアナキストが多いことを思い出したからだった。そういえば、松田さんも東京行動戦線というマルクス主義者とアナキストの連合のような運動体に関係しており、また松田さんが親しかった作家の埴谷雄高は、アナキストからマルクス主義者に転向したものの、アナキズムへのシンパシーは終生持ち続けたことは知られている。

日本の戦後アナキズムは、日本アナキスト連盟に始まり、まもなく岩佐作太郎らの戦前の八太舟三に繋がる純正アナキストは離脱して日本アナキスト・クラブを作り、戦前と同じように、連盟系のアナルコ・サンディカリズムと、クラブ系の純正アナキズムの二本立てとなる。しかし、現実にはいずれも言論的啓蒙の域を出ることはなく、運動形成には至らなかった。その中で、日特金の工場に突入したべ反委や誤爆事件を起こした背叛社は、対極的な画期性を示した。

１９６９年の関西のアナキスト革命連合は、それをより大規模に組織的に展開しようとしたものだったが、これらのいってよければ、革命的アナキズムあるいはアナキスト左派の動きは、明らかに戦後日本のアナキズムの系譜的な主流からすれば傍流のような位置にあるが、何事も主流よりも傍流の方が画期的だとすれば、アナキズムもまた例外ではなく、そのことを松田さんを通じて改めて思い出し、あれこれと思いつくままに書いてみた。

２０１４年8月1日

●フランス語と現代思想とは何か

かつて、マルクスは『ドイツ・イデオロギー』で、ドイツ的現実での批判的思想の現実を問うたが、いわば、それの現代フランス版のようなものだ。『フランス・イデオロギー』といってもいいだろう。同名の著作が、フランスの新哲学派のB・アンリ＝レヴィにあったが、それとは関係がない。

現代のフランスの思想が、総体として、あるいはフーコーやデリダ、ドゥルーズ、ラカン、アルチュセール、ランシエールその他が、個々的に、何を、どのように問い、思索しているかではなく、そもそも、フランス語圏で思想することの意味と限界を問う必要がある。パリでのテロに対するフランスの、自身を普遍主義化した反応がそれを分かりやすく提示してくれている。もっと言ってしまえば、フランス語で思想をやる意味だ。言語は、ヨーロッパだけでも横並び的に、英語や仏語、独語、西語、伊語、等々とあるのではなく、それぞれの語が歴史性を帯びており、言語の意味が持つ現実との関係性が全く違うからだ。つまり、ヨーロッパだけでも、英語、仏語、独語その他で思想をやることは、単に違う言語で思想をやるということではなく、現実に対する思想の関係において、まったく異種の思想をやることになり（個々の言語の歴史性から）、それに最も無自覚的なのがフランス語ということだ。

ハイデガーは、フランス人も哲学をやる時はドイツ語を使用しているのであり、その時にフランス人が使用するフランス語は、本質的にドイツ語なのだという意味のことを言ったことがあった。これはドイツ人の駄法螺でもドイツ語の言語ナショナリズムでもなく、個々の言語の対現実的意味性と解すべきだろう。これは近代のヘゲモニーがフランスにあり、フランス語が近代のヘゲモニー言語であることに関連する。フランス語はヘゲモニー言語であるゆえフランス語の対現実的意味性を普遍化し、それに対する批判を、逆に自己中心主義と批判する現実を作り出す。しかし、それはフランス語による虚構ではないか。

フランス語による思想が作り出す虚構の分かりやすい例として、近代におけるフィヒテの『ドイツ国民に告ぐ』での、ドイツを根源民族とし、ドイツ語を根源言語と述べていることを、自民族中心主義として批判するフランスの論理だ。あそこで批判されるべきはドイツのフィヒテではなく、フランスのナポレオンだろう。このあたりが分かっていないのが、フランスの普遍主義の問題点でもあり、フランス語で思想をやることの限界を突破することをフランス思想やフランス思想研究者は問題としないかぎり、フランス思想のヘゲモニー下にある現代思想には、表向きの装いとは異なり、何の批判性もないだろう。拙著『思想としてのファシズム』の「まえがき」では、それについて戦後フランスの現実の政治性に関連して、その一端を少し書いたが、フランス語による思想は、その意識とはかかわりなく、構造的現実において左翼ならば文化左翼にしかならないからだ。

２０１６年３月23日

◇4月　ダダの原理性を確立するためには

●理論の再構築が無ければ珍獣化している右翼も左翼も死滅する

三島由紀夫研究会代表幹事の玉川博己氏から小包が届き、開封すると山平重樹著『決死勤王生涯志士　三浦重周伝』（並木書房）が入っていた。平成17年12月10日に享年56歳で自決した三浦は私より一歳上で、日学同の第6代委員長を経て、重遠社を設立している。同書には反核防闘争の件や20代からの友人の日本学生会議の牛嶋徳太朗や、三浦の配下だった民族の意志同盟の森垣秀介氏も登場。味読しよう。

山平氏の右翼評伝本は、以前に、生前に交流のあった楯の会一期生で年長の阿部勉のものを読んだが、同じように1970年前後に活動していた新左翼の場合は、運動の思想がメインとなるのに対して右翼の場合は、個人の物語であることだ。理論の左翼、情念の右翼の反映といえるかもしれない。

私は、右翼も理論が必要だと思う。理論よりも情念や心情など魂が主眼である場合、何らかの活動は可能だが、革命的や維新的な組織運動は困難だからだ。また、右翼の場合は、少し前に、磯部浅一にふれたが二・二六の事例もあるように尊皇的意識による蜂起の賊軍化のディレンマ問題があり、これらは心情や魂ではどうにもならないからだ。

ひと口に右翼といっても私が直接に知るものだけでも、いくつかの種類がある。故三浦や玉川氏が所属した日学同や、畏友の牛嶋が所属した日本学生会議などのような三島由紀夫の影響の強い新民族主義の学生右翼や重遠社、草莽社などその後身、そこから分かれた民族の意志同盟、また反共派の老舗のような防共挺身隊、議会進出を志向する新風、新右翼を呼号した一水会から日本版ネオ・ナチのような右翼まで様々だ。これに右翼とまた違う保守系のものを加えれば、さらに多様化しよう。

戦後日本の革命志向の学生運動はマルクス主義者の新左翼が主流で、反共派右翼から離脱して維新革命を志向した日学同や日本学生会議は明らかに傍流だったが、ある意味では彼らとは対極に位置するアナキストの学生運動と似ていたかもしれない。私が20代初期から彼らと親しくなったのもそれゆえだろう。

アナキストもまた理論よりも革命への意志が強かったが、私は運動に飛び込んだ高校生の頃から理論が必要だと考え、アナキスト革命連合（ＡＲＦ）のゲバルト部隊として大阪芸大夜襲のＡＲＦの突撃隊で活動する一方で理論構築を目指していた。理論が無いと、現実に対して悪く言えば場当たり的な対応しか出来ず、アナキストや右翼の場合、しばしばそうだった。

今は、マルクス主義やアナキストの革命派も右翼の維新派も、珍獣のような存在であり、ある意味で、政治文化の保護対象であるかもしれない。またその意味で、左右の対立を越えた、珍獣としての通底性において共通の存続の課題を持つといえる。そのためには一にも二にも理論が必要だろう。

この場合、従来までの理論はもはや使い物にはならないだろう。マルクス主義は社会主義圏の崩壊と共に、右翼維新派は昭和天皇の死と共に、それまでの立場は賞味期限が切れたといえる。つまりかつてのようなインターナショナリズムもナショナリズムも、もう通用しないということだ。

２０１５年４月15日

●塚原史『ダダイズム』を読む

塚原史『ダダイズム』（岩波現代全書）を読む。文学や芸術を全否定しようとしていたダダの世界的な普及的展開が述べられているが、破壊どころか建設になっている。去年、ここでも何度か触れたが、ダダイストの山本桜子が、同志の東野大地と共に批判的（というより否定的）に挑戦したスイス大使館主催のダダ１００周年記念コンペにおける「国起こし」としてのダダはこの延長だ。なぜ否定が肯定になるのか。そこに資本主義の秘密がある。

スイス主催の「国起こし」としてのダダの活用（利用）を否定するには、なぜ、ダダ的な否定が肯定に転じてしまうのか、その根拠を捉える必要がある。驚いたり、否定の意識を再確認するだけでは事態を突破出来ない。なぜなら、そのようなものを絡めとったのが肯定への転移だからだ。

塚原によれば、ダダからネオダダへと続く試みは、芸術そのものの否定ではなく、価値序列の中で特権性を持つ芸術の否定とすれば、これはダダイズムの構改主義といってもいい。芸術そのものの否定を原理とすれば、それは改革への後退でもある。

このような構改性は、トリスタン・ツァラにすでに見られたと塚原は指摘するが、もし、そうであれば、ツァラがフランス共産党を支持、それと共に活動したことと彼のダダの構改性は関連しているだろう。ダダの舵をアナキズムに切り替えそうとすれば、芸術そのものの否定という原理的立場を確立することだ。

ダダの原理性を確立するためには、芸術が置かれている資本主義的現実を、芸術の資本主義性を解析する必要がある。でなければ単なる意識の発露に終わるだろう。芸術の資本主義性が解析されたならば、反資本主義としての反芸術の内実が可視化されるだろう。

所謂「主義者」と「研究者」は、当事者と見物者ほどに異なる。それはダダイズムにおいてもそうだ。また、個別のツァラその他を対象にしても同様だ。ダダイストはツァラを研究するのではなく、あえていえばツァラになり、ツァラとして考え、動く。だからツァラとして過去のツァラへの批判も行うだろう。

塚原のダダイズム論によれば、ツァラは芸術の置かれている現状を批判したにすぎなかったらしいが、しかし、その程度の批判ならツァラのダダイズムは取るに足りないつまらないものとなる。そのようなツァラの自己総括は晩年のものだが、ツァラの当初を問う必要がある。

それが誰であれ、その者の思想や表現、活動を、その者の意識に還元してはならない。そこには本人の意識よりも深い、あるいは浅い構造があるからだ。それはヘーゲルもマルクスもニーチェもユンガーも同様であり、ツァラしてまた然りであり、だからこそ過去の人間の思想や表現を問うことが出来る。

感想をいえば、塚原のダダイズム論は、見物者の勉強本としては、それなりの面白さもあり、役にたつところもある。しかし、同類のアナキズム論その他と同様に当事者として見れば、またこれか、という既視感のあるものでしかない。見物者は過去を整理するが、当事者は未来へ進撃するからだ。

２０１８年４月３日

◇5月　半ば永遠の退屈さの漂う最前線

●鳥居清長の美人画に描かれた風景

六郷の渡しといえば、現在の東京の大田区と神奈川県の川崎市を結ぶ、多摩川にあった渡しだが、そのほぼ同じような光景を描いた二つの浮世絵がある。

一つは、葛飾北斎と並ぶ浮世絵の風景画の巨匠とされる歌川広重（かつては「安藤広重」として知られていた）の代表作とされる『東海道五十三次』にあるものだ。

北斎の強い意志的で、形而上的なものさえ感じるような、いってよければ不自然さも何のそのという『富嶽三十六景』の絵と比べるならば、広重の描く風景画には、センチメンタルなまでに詩情に満ちた筆致が、絵の全体を支配している。むろん北斎にも詩情感に満ちた絵はいくらでもあるが、それでも広重の絵に漂うような情感性のようなものにはやや欠ける恨みはある。

例えば、東海道物の評判に気を良くして作られた『木曽街道六十九次』は、当初は渓斎英泉が担当した。日本橋の雪景色から始まる英泉の木曽街道物も最初は可もなく不可もない風景画だったが、やがて別に風景画でなくても構わない盲人たちの集団喧嘩の絵や理屈っぽい絵が続き、そのような英泉の絵は不評だったのか、途中から広重が登場し、しばらくは広重と英泉が交互に描き、後半は広重が単独で描いている。

英泉と広重の絵を比べても、英泉の乾いた絵と比べれば広重の絵の旅情感に満ちた絵が人々に支持されたことはよく分かる。もっとも私は、個人的には英泉の絵の方が好きなのだが。

ところで、『六郷の渡し』の絵だが、もう一つは鳥居清長によるものだ。広重の絵は、ジャンル的には風景画だが、清長の絵は美人画になる。

美人画といえば喜多川歌麿が最も知られているが、歌麿のブロマイド的な美人画に対して清長は、女性の全身像を現代的な八頭身美人として描いたところに特徴がある。

さらに清長は、美人画の背景として風景を描いたところにも特徴があるといえるだろう。

ここに取り上げた清長の六郷の渡もそうだが、面白いことにこれは上記の広重の「川崎六郷渡舟」と、ほぼ同じ光景を描いていることは、絵の正面に緑の木々が見え、右側の遠景に富士が見えていることからも分かる。

私が注目したいのは、広重の絵ではなく清長の絵であり、しかもそこに描かれた女性たちではなく、背景に装飾として描かれた風景である。広重の風景画とは異なり、風景はあくまでも背景だから、広重の描く風景と比べるまでもなく装飾的に描かれているにすぎない。

しかし仔細に眺めてみると意外に丹念に描かれていることも分かる。つまりメインの女性像を消して、背後の風景だけを見ても、それなりに見られなくもないのだ。これは清長の「三囲神社の夕立」の背景の山や隅田川の川縁で夕涼みする三人の女性を描いた絵のやはり背景である対岸に並ぶ家々の光景などの場合も同様である。

美人画の絵師でもある清長にはまだ風景画の視点はなく、また風景画が確立されるには浮世絵においても一つの切断が不可避なのだが、清長が背景として描く風景には、まだ風景画には到らない風景の表現という、浮世絵にも見られる表現の変化の一つの相が見られるようにも思われる。美人画と風景画に描かれた同じ光景を、味わう楽しみもそのあたりにあるのかもしれない。

２０１５年５月18日

●米国の原爆攻撃は犯罪なのか

広島でのオバマ大統領のスピーチを讃めたり貶したりする声があるが笑止千万だ。あれは国家同士の手打ちの儀式以上でも以下でもない。またオバマが原爆投下についての米国の責任を避け人類へすり替えているという批判もあるが、それは倫理的かもしれないが、政治が分かっていない。ホロコーストについてのヴァイツゼッカーの有名な演説も、ドイツというより人類の問題としてなされており、これが高等政治というものなのだ。政治は、個別責任を普遍化し、個別を回避するところに倫理とは異なる内実があるといえよう。それに腹を立てるのは倫理だが、倫理で政治を撃つことは出来ず、そのような狡猾さが政治の政治たる所以だろう。

日々の生活と共にあり、現実の肯定が前提であり、その意味では政治とは無縁な人々ならばともかく、生活の外としての政治や思想に関係する立場についていえば、右翼の一部には、米国の原爆投下は犯罪であり、謝罪を求める声があるが、彼らは本当に右翼なのか。原爆攻撃を犯罪視し、謝罪を求める被害者意識は敗戦思想であろう。

米国は敵ではあるが悪ではないのであり、敵役と悪役を混同してはならない。右翼ならば対米報復攻撃を志向すべきだろう。原爆投下は、米国の犯罪ではなく、米国の軍事の一環であり、だから謝罪を求めるのではなく、それを「新兵器」による攻撃と捉え、反撃と撃滅をこそ志向すべきだろう。犯罪や謝罪をいう立場は、実は対米追随の余波だと知る必要がある。

また核廃絶をいう左翼だが、そのような左翼は反革命であり、主観的にはどうであれ、構造的には資本主義の傭兵にしかなりえない。革命は、地球レベルの機動戦としての革命戦争が最終的には必要になり（だからネグリあたりのマルチチュード革命論は、グローバルな構造改革論にすぎず、その実態は、革命を僭称する体のいい反革命でしかない）、核が切り札となるだろう。その場合、人類が滅びていいのか？　という恫喝は、現状肯定に通じることを知る必要がある。逆にいえば、革命は人類の死滅を肯定する思想が必要といえよう。また右翼は国民死滅の思想が不可欠だ。

いずれにせよ、日本には怯懦な、革命を忘れた左翼や、独立心のない右翼しかいないのか。だから、左翼も右翼も、革命や国家独立の思想を確立しえず、左は社民や文化左翼が、右は保守の類が幅をきかせることになる。社民や文化左翼と保守は、一見、対立しているようだが、共に現状肯定を前提で部分的な修正を志向するだけであり、本質的に同類であることだ。

革命とは、生活を良くすることではなく（それは革命ではなく改革であり、それ自体としては反革命）、現実という存在の無根拠性の肯定なのだ。そして革命が創造する国家とは、無根拠の肯定の政治的様式といえる。

米国の原爆攻撃に対しては、核武装した現代版の富嶽による厚木航空隊の再形成を志向すべきであり、もし再び玉音の阻止が必要ならば、現在の畑中少佐たちの行為は、神武帝の建国（国家創造）の革命性の大義に基づいてなされるべきだろう。これを否定する右翼は反天皇的であり、また否定する左翼は反革命的だろう。そしてそれが現実には不可能であるならば、思想的な本土決戦（つまり、日本における総動員の完遂でもある）により、敗戦を徹底化すべきだろう。そうすれば勝敗を突破した自己規定が可能な存在になり得よう。少なくともそのような歴史的根拠を持つ思想を確立すべきだろう。

●思い込みの強さは思想になるのか

2016年5月28日

思想的論述に対する文学的表現の長所は、文学でしか表せない問題があると同時に短所は、まさにその表せるところにある。例えばニヒリズムをめぐるニーチェとドストエフスキーの、思想と文学の関係性の問題もそのあたりにあるだろう。

ユンガーの『労働者』は、様式的には、思想の軍事教練スタイルで書かれている。だから論述や表現とまた少し異なる記述になっているが、これはユンガーが、思想的論述と文学的表現の長短問題を解決しようとした、一つのあり方と見ることも出来る。

思想的論述にしろ文学的表現にしろ、読解は著者には不可能なのだと思う。読解が不可能だから書くのであり、そして書いている事は読解の不可能性なのだ。つまり問題の分からなさを書いているのであり、もし難解であるならば、それは問題の分からなさに起因する。

マルクスは『ドイツ・イデオロギー』で、溺死の自覚が無いまま死んだ者は、それでも社会的には溺死だと言い、シュティルナーはそうではないと言うと批判した。これについては山本桜子、東野大地と、あべのハルカスの喫茶室でも話したが、この問題は存在論的には、極めて重要な問いを発していると思う。

現在がもし否定的意味で退屈ならば、それは日常が歴史と縁が切れていると感じられるからで、その張本人は「大きな物語は終わった」といったリオタール、「歴史の終焉」をいったフクヤマにある。確かにグローバリズムは彼らの発言を現実化した。しかし、世界にはネオリベラリズムに屈しないものが唯一つある。

否定的な意味での退屈は、精神を弛緩させ士気を落とし、戦線を弱体化する。我々がジュリアン・グラックが描いた『シルトの岸辺』の、半ば永遠の退屈さの漂う最前線において、来るべきブランキ的蜂起のためのモチベーションと士気を維持しようとする際、依拠すべき構造はこの唯一のものしかないだろう。

２０１４年5月28日

●つまらない顕教の大学と危ない秘教の私塾

研究者の弱点は、出典先の無いことは、ほぼ書けないというところにある。だから研究者の論文は下手をすると書かれた字面だけを丁寧に追うだけとなる場合も少なくない。むろん字面を丁寧に読むことは基礎研究に該当し、基本でもあるが、思想はそれだけでは駄目だという難しさがある。

近代絵画の世界、特に19世紀末のそれに、アカデミズムとアヴァンギャルドという言葉があり、それによる傾向の区別があるが、思想においても似たようなことがいえるだろう。研究者は往々にして、ここでいうアカデミズムとなり、脱研究的に思想する者はアヴァンギャルドに該当するとでもいえようか。

私が20歳の頃に東京で同棲していた歳下のアナキストの女性は、１９７０年の反安保闘争が過ぎると、開校当初の美學校に入り、細密画をやっていた。彼女とは翌年に別れたが、美學校もとっくになくなっていると思っていたら、ダダイストにしてファシストの山本桜子嬢から今もあると教えられた。その美學校で講座を持つ美術家の中ザワヒデキ氏が先般、来阪中に私の難波の味園ビルでの定例研究会に参加。考えてみれば、大学を江戸時代の藩のようなものとすれば、不思議な巡り合わせで再会した美學校は塾か道場のようなものだろう。

どういうことかというと、前にも言ったが、大学は藩に該当し、美學校のような江戸期の様々な塾や剣の道場のような処であり、そして藩はアカデミズムに、塾や道場がアヴァンギャルドに該当するということだ。幕末の志士の多くは、藩を脱藩した下級藩士、さらに郷士や農民が塾や道場に属し、そこから生まれている。私の定例研究会も、そのような塾や道場の範疇に入るように出来ればと思っている。

江戸時代の藩に該当する大学で教えられるのは、思想の顕教的な知識であり、それ以外は本質的に独学となる。しかし顕教的知識では時代の現実に対応しえず、専門学校的なマニュアルが必要となり、大学の部分的な、あるいは本格的な専門学校化となる。しかし、単なる専門学校化では、知の処世術を習得するだけで、いつの世でも現実に立ち向かうことは出来ない。知の処世術とは対極的な原理的な理論が必要だからだ。しかし、それは顕教的な知識からすると危ない要素があり、だから大学では院生以上の独学的秘教となっていよう。

顕教的な知識を講じる藩としての大学に対して、現代の塾や道場に該当する処では、そのような危ない要素がなきにしもあらずの秘教的な知あるいは思想を、教え、学ぶ処という役割を持つ。当然のごとく危ないが、しかし、アヴァンギャルドというものは昔から危ないものだったといえる。現代の思想が面白くないのは、危ないアヴァンギャルド性がなく、健全なアカデミズムばかりだからだ。

現実に思想は、大学教員の副業と化している。そこにはアヴァンギャルドは食えず存在が難しいという生活的現実もあるが、同時に、食えたならば思想は商品になるというアポリアもある。ところで、かつての大学は、まだ知識そのものが秘教的要素だったこともあり、革命家の養成機関のような処もあった。日本でも１９７０年前後まではそうだろう。ところがそれ以降、大学は秘教的な知を排除し、顕教的な知の処世術を教える場となった。それに応じて大学教員からも危ないイデオローグ性はなくなり、専門学校教師へと変貌し、知の噺家となり、大学は商売へ露骨に変貌していく。

２０１６年5月30日

◇6月　イロニーは世の中にいながらいないようなことだ

●死ぬまで、人知れず一人で見続ける風景

保田與重郎に「セント・ヘレナ」という文章があるが、ナポレオンにとってセント・ヘレナとは何だったのだろうか。たとえば、死ぬまで見続ける青い海とは何だろうか。いずれ、誰もが、人知れず、この青い海を見続けなければならなくなるのだろう。保田の「後鳥羽院論」も考えさせられる。

橋川文三の『日本浪曼派批判序説』（講談社文芸文庫）の実体は、保田與重郎批判序説だが、橋川の保田論は、やはり保田を狭くしている。橋川が若い時にいかれた保田は分かるが、それは橋川の保田であって保田ではない。たぶん、橋川的な批判から、するりと抜け落ちるところに保田はいるのだろう。

蓮田善明は自決しているが、私は蓮田の最後は自決ではなく彼が『鴨長明』（八雲書林）で書いた隠遁だと思う。そこで思うのは蓮田の隠遁と、保田與重郎のイロニーだ。隠遁は世を退くが、イロニーは世の中にいながらいないようなことだ。これは現代においてじっくりと考える必要がある。

ジュリアン・グラックのユンガー論によれば、エルンスト・ユンガーの後半生は、隠遁のようなものになる。ユンガーでいえば、『労働者』の世界から『森を行く』の世界であり、単独のアナル

クという存在だ。

２０１５年5月31日

●元高校全共闘の集いと御厨貴

御厨貴というと、東大教授を経て、様々な要職に就いているが、私が身近で御厨を見たのは、ここでも何度か触れた数年前に飯田橋の涵徳亭で、かつての赤軍派、解放派、アナキスト等が呼びかけ人となって催された元高校全共闘の集いの時だった。１００名近くが集ったこの催しの第一部が終わり、その総括のスピーチの最後に登場した私が、１９６８年闘争期の高校全共闘の闘いは終わっていないという旨の話をした時、目の前に、逐一頷いている御厨貴が立っていたのだった。

その御厨の『天皇と政治――近代日本のダイナミズム』（藤原書店）を読んでいると、二・二六に触れた章があり、戦前の日本には、二・二六のようなクーデターを起こし得る力を孕んでいたが、現在の日本にはそのような状態は皆無であり、暴力的に体制変革がなされる可能性をほぼ失っており、このことの意味をきちんと考える必要があると述べているくだりがあった。御厨は「テロすら起きないんですから」と言い、テロやクーデターが持つ政治的な意味を、現代は分からなくなっていることには問題があると言っている。御厨の問題意識は「私は別に、テロやクーデターが起こってほしいと言っているわけではありません。でも、思考実験として、テロやクーデターがありうるときの国家の歴史」は考えておく必要があるということだ。

少し前に、『ＥＸ大衆』というグラビア・アイドル誌に載った昼間たかし筆の「テロリズム」特集の記事にふれたが、それとの関連を考えると、御厨のこの見解も面白い。

ちなみに、御厨も間近で接していた元高校全共闘の集いの上記のスピーチでは、その後の若い世代からの連帯の挨拶をしたダダイストにしてファシストの山本桜子が、連合赤軍の永田洋子の意志を継承すると話し、その場を驚愕させ、最後に立って全体の総括の挨拶をした元バクーニン主義者の私は、1968年闘争の年少世代派である高校全共闘の闘いの政治的無意識は、日本史的には1945年8月15日の玉音放送を否定し、徹底抗戦を主張した畑中少佐らの玉音阻止派や小園大佐指揮下の厚木航空隊の立場を革命的に継承するものであると述べた。

2019年11月30日

●異色の思想家・津村喬が亡くなった

津村喬とは、『図書新聞』紙の若い世代の思想家をとりあげた連載記事に共に取り上げられたことがあり（津村より二歳下の私が最年少で最終回だった）、また松田政男編集の『映画批評』誌に席を並べて文章を書いていたので、その名前や『われらの内なる差別』『魂にふれる革命』といった彼の著作は知っていた。しかし、1970年頃の津村は毛沢東主義者であり、そしてバクーニン主義派アナキストだった私は毛沢東には批判的だったので、『映画批評』掲載の津村の文章は適当に目を通したりしていたが、私の関心をひくものはなかった。

興味がないまま津村について教えてくれたのは、それから約30年後に読んだ絓秀実の一連の「1968年論」においてであり、絓は津村を高く評価していたからだ。私自身も1970年代の津村を包む吉本隆明や笠井潔その他との論争状況は知らないわけではなかったが、だからといって津村に対する見方が大きく変わったわけではなかった。それは、1968年闘争期にノンセクトの津村と、党派的アナキストだった私の１９６８年闘争への見方の違いによるのかもしれない。津村の立場はノンセクトには大いに首肯し得るものだったかもしれないが、党派（セクト主義を批判する党派を含めても）には良くも悪くも飽き足らないものがあったろう。あるいは、私が１９６８年闘争のオーソドックスな捉え方からズレているのからかもしれないが、しかし１９７０年前後の頃の早大反戦連合や早大全共闘の知り合いからも、津村の名前は聞いたことがなかった。津村が評価した１９７０年７月の「華青闘告発」も、私は違ったふうに捉えていた。華青闘告発に対する当時の中核派の血債主義的対応は駄目だとおもったが、私は華青闘告発そのものには、以前にも何度か触れたが批判的だった。それは華青闘告発を解放派や叛旗派のように無視したり退けたりすることではなく、華青闘告発を単に受け入れることを越える必要があるということだった。

ところがそのような私の中にも津村への新発見があった。それは私の『歴史からの黙示――アナキズムと革命』に先行して航思社の「革命のアルケオロジー」集の一点となっていた津村の『横議横行論』を２０１７年頃に読んだ時だった。ナチスの宣伝相ゲッベルスの大衆操作を取り上げた文章の中に、ロジェ・カイヨワの『戦争論』からの知見と思われるがユンガーへの言及があった。津村はデリダその他にしても、まだその著作が未邦訳の場合でも、それについての二次文献からの間接的な読解は定評があり、ユンガーの件もそうしたものだが、彼がその文章を書いた１９７３年後半といえば、私はバクーニン論に取り掛かっていた頃であり、バクーニン論を終え、１９７０年代後半にユンガーに取り組み始めたことを思うと、遅まきながら津村のそのような見識に感心した次第だった。

２０２０年６月20日

◇7月　アジールとしての東方会

●伊東静雄と蓮田善明

私の居住地区界隈は、完全な住宅地であるため、普段でもかなり静かな所だが、夏の正午あたりだと、暑さに何もかもが息を潜めているのか、真昼の静寂さに包まれる。少し歩いた処にある大阪のお屋敷街の帝塚山に近い中学には戦前、詩人の伊東静雄が教師として赴任しており、若い頃の三島由紀夫が会いに来て、伊東が少年三島を「俗物」と評したことが知られるが、その伊東静雄もどきの下手な詩が書けそうな静けさだ。

考えれば、大阪は意外と日本浪曼派とは縁がある。伊東静雄の教師の件に加え、南朝の北畠顕家の墓のある北畠公園と、そこから東へ行けばシャープの本社がある播磨町の中間には、かつて旧制大阪高校（大阪大学の教養学部の前身）があり、そこは、保田與重郎や竹内好が学んだところだ。戦前は、帝塚山に住んでいた私の母などは、娘の頃、マントに高下駄の大高生の姿をよく見かけたと言っている。今は跡形もなく、阪南団地という大きな集合団地に変貌し、身も蓋もない。

伊東静雄と、三島由紀夫の少年時代の「感情教育の師」とされる蓮田善明の間には交流があったが、蓮田は、最初の召集から復員し、東京の成城高校（現・成城大学）の教員をしていた時、二度目の応召で再度、出征することとなり、陸軍中尉の正装で家族と共に皇居を遥拝し、その後、九州へ向かう。その時、列車が、大阪駅を通過する際、駅のホームにいた伊東静雄への別れの挨拶として、皇居で拾った小さな砂利を窓から投じたとされるシーンは好きな光景だ。

蓮田は敗戦時に、小高根二郎の『蓮田善明とその死』(筑摩書房)によれば、敗戦に絡んで天皇に対する不敬な発言を部隊の兵士たちにした連隊長を射殺し、自らも自決している。三島は、その自決に迫る晩年、蓮田の死に思いを潜めたとされ、また松本健一は、連隊長の射殺には小高根とは違う説を出しているが、私は、拙稿「蓮田善明・三島由紀夫と現在の系譜」(『思想としてのファシズム』所収)でも述べたように、鴨長明の養生訓を肯定的に論じた『鴨長明』を遺著とする蓮田にとっては、連隊長の件は、小高根や松本がいうような、ある種の必然性を帯びたようなことではなく、全くのアクシデントだったと見ている。

蓮田善明の小説『有心』は、中国戦線から復員した蓮田が、迎えに出た最愛の妻の笑顔に、戦場の余韻を残す感情がついてゆけず、治療と称して阿蘇の温泉に行く話だが、この小説は、1968年の闘争以来の私が、その後に至るために決定的といえるきっかけを与えてくれたものだった。1978年頃、この作品を読み終えた後、空を見ることが出来るようになった意識の目が目覚めたことを覚えている。

福岡には親しい友人、知人も多く、福岡に行くことがあれば、熊本に足を伸ばし、西南戦争の激戦地として知られる田原坂にある公園の「ふるさとの　駅におりたち　眺めたる　かの薄紅葉　忘らえなくに」と刻まれた蓮田善明の文学碑を見に行ってみようと思う。

蓮田善明の面白いところは、日本浪曼派以上のロマン主義的国粋派とされると共に、帝国陸軍中尉で、しかも来襲する敵機に機関銃で応じるという強者で、軟弱な将校ではなかったことから文武両道の硬派のイメージがあるが、その文学傾向は、古今の失恋の歌の読みをはじめ、極めて繊細で軟派的で、和魂的なところだ。太宰治を評価し、ノヴァーリスやボードレール、ゲオルゲ、リルケ、ドストエフスキーその他、欧米文学にも造形が深い。

２０１３年７月13日

●池田浩士とナチス・ドイツ文学

柏書房から２００１年に一冊だけ出たままの、池田浩士編訳の「『ドイツの運命』――ドイツ・ナチズム文学集成」は当初は田畑書店から刊行される予定であり、私は、田畑から22歳の現役のアナキストのバクーニン主義派の時に、松田政男氏の世話で単著を出していた経緯もあり、当時の田畑の代表から協力を依頼され、ヒトラーユーゲント物を一冊試訳したことがあった。その後、話は断ち切れとなったままであり、私も忘れていた。上記の柏書房で復活したようだが、ゲッベルスの『ミヒャエル』と、ハンス・Ｈ・エーヴェルスの『ホルスト・ヴェッセル』という小説が収録された第１巻が出たまま、約12年が経ったが、池田氏はこの集成はもうやる気がないのだろうか。

池田氏とは、氏は忘れているかもしれないが、国分寺近くにある東京経済大でのある催しで一度会ったことがある。今はマスメディアでのニュースの時事解説でも有名で、私は全幅の信頼を置いているが、元『日刊ゲンダイ』の編集長で、当時は『情況』の編集に関係していた二木啓孝氏の紹介で、１９７０年代半ば頃で、私が25、６歳くらいの頃だろうか、会い、少し話をした。その後、イザラ書房刊の『インパクト』で私が、ドイツ赤軍関連の著書の書評で、ワイマール時代の右翼テロ組織の「コンスル（執政官）」のテロリストについて好意的な文章を書いたため、池田氏からは忌避されるようになったかもしれない。

池田氏はブレヒトやＥ・ブロッホその他を手がける左翼系の独文学者だが、左翼に多い教条的な右翼批判をしないところが特徴であり、それは、Ｈ・シュテール、Ｈ・グリム、Ｅ・Ｇ・コルベンハイヤー、Ａ・ブロンネン、Ｈ・ファラダ等をとりあげた『ファシズムと文学』（白水社）でも明らかであり、また同書の「あとがきにかえて」に書かれている、日本の独文学者たちの戦中・戦後の処世的変遷に対する批判は、かなり重要な指摘だと思う。

その後、私も、編集の一員として参加した雑誌『悍【ＨＡＮ】』（白順社）の3号に池田氏の原稿があり、懐かしさを感じたものだった。その号で、私は、エルンスト・ユンガーについての一文を書いていたが、池田氏の知り合いの奥野露介という人がユンガーの『労働者』を法政ウニベルシタスから訳出する予定だった。ところが奥野氏は急逝し、ウニベルシタス版の『労働者』は消えた。ユンガーの『労働者』は、京都産大法学部教授で、ユンガー『追悼の政治』（月曜社）の訳者である川合全弘氏が翻訳に着手している。

２０１３年7月13日

●「東條を倒せ――中野正剛と東方会」

20年ほど前にテレビで放送されたＮＨＫ福岡制作の「東條を倒せ――中野正剛と東方会」という九州大助教授（当時）の有馬学氏が監修したと思われる番組の録画テープが出てきた。両国国技館に数万の聴衆を動員した東方会の中野正剛の演説の貴重な映像もあるが、何分、録画状態も保管状態もかなり悪い。

内容は、昔の映像、元東方会関係者の証言、再現ドラマからなり、再現ドラマの箇所では中野正剛の役は、少し恐持てすぎるようにも思えるが、俳優の成田三樹夫が扮している。

東條の命令で中野正剛をはじめ東方会員百余名が特高に一斉検束され、中野が憲兵隊に回された時、東方会の突撃隊（東方青年隊）その他では、東條暗殺の動きさえあったらしい。このことは、かつての東方会の突撃隊である東方青年隊の全国隊長で、戦後は熊本県人吉市長だった永田正義さんからも聞いた。東條暗殺の実行部隊の一員だった人が、戦後は市長になっていた。

中野正剛と東方会は、日本では唯一の純正ファシストとされているが、そのファシストが、反東條活動の先鋒だったことは、日本の戦中・戦後の思想を見る上で面白いことではないか。左翼はことごとく弾圧された戦時体制において東方会は、ある意味では、勤労者や国民の意志を代弁する唯一の組織となっていた。

中野正剛については、室潔の『東條討つべし――中野正剛評伝』（朝日新聞社）以外に、まともな研究がほとんどなく、緒方竹虎や猪俣敬太郎、中野泰雄その他のかつての中野の関係者や家族による評伝の類ばかりだ。室は、それらの中野の評伝が無視もしくは取り扱えなかった中野のヒトラー礼賛や東條批判、犬養との関係についても丁寧に分析しているが、ただ本の表題がよくない。伝より論だから『中野正剛論――東條討つべし』と、中野の名前をメインタイトルにすべきだろう。

中野の矮小化の戦犯はおそらく吉本隆明だろう。吉本は花田清輝との論争で、中野の東方会の機関誌編集をしていた花田をファシストだと非難し続けたことは知られている。その花田を矮小化するため、吉本のいう花田＝ファシスト説の根拠ともいうべき中野を矮小化した。それが、北一輝と中野正剛の改造論の言説を比較した吉本の「日本ファシストの原像」という文だが、観念を探索する思想家である北一輝の言語と、現実を重視する政治家である中野正剛の言語の本質的な違いを無視した、吉本の比較論は明らかな錯誤であり、デマゴギーといわざるをえない。

番組の中では、当時、東方会の一員だった人々が、戦時下の東方会の「左翼のアジール」的な性格についていろいろと語っている。左翼の人々に対して中野は東方会に入ることを勧め、それに従った左翼の人々は、転向することなく、国粋的な東方会に「国内亡命」して戦後に到ったともいえよう。私は、この戦時下における東方会が有したアジール的な性格に注目したいと思う。それは、戦後の精神を考える際、吉本がいった転向や、橋川文三がいった日本浪曼派と並ぶ重要性が指摘出来ると思う。

日本においてファシズムは戦前・戦中にあったのではなく、むしろ、アジールとしての東方会を通じての戦後思想の秘教だったことだ。それは戦後の輸入民主主義に対して、批判的・対抗的な民主主義の流れを形成し、その秘教的側面が、左翼的思想と語彙に武装されて革命的な路線となり、さらには１９６８年の新左翼の世界革命の思想に腹蔵した無自覚な左翼ファシスト性へと繋がることにもなる（その有名な現象の一つが、丸山眞男が「ナチスもこんなことはしない」と言ったとされる全共闘による丸山眞男の研究室の破壊である）。

１９６８年の新左翼の革命の、ある種の「ナショナル・ボルシェヴィキ」性や、「プレ・ファシズム」性のルーツは、東方会をアジールとして戦後へと持ち込まれた、戦中の東條体制批判としての、左翼的メンタリティとファシズムの合体（あえていえば、ファシスト民主主義）にあるといえるのではないだろうか。

この、左翼的メンタリティとファシズムに敵対するのが、現代の思想や運動だ。左翼的メンタリティは、新左翼の暴力路線となり、ファシズム共々、暴力とテロとして批判され忌避され、暴力闘争ではなく文化へゲモニー路線というグラムシ主義の延長にある昨今の文化左翼と、戦後の親米派の流れを汲む保守の対立ゴッコが捻出されている。そうである限り、現代でも思想と運動の秘められた真の最前線は、１９６８年の思想と運動にあるだろう。

中野と東方会は、思想史の社会学からするならば、江戸時代の山崎闇斎の崎門学派の現代版ともいえよう。つまり、思想の正統意識と党派性においてである。山崎闇斎や崎門学派にとっての儒学に該当するのが、中野正剛と東方会にあってはファシズムだったのだ。

１９９０年の福岡での、中野正剛の側近で、玄洋社の最後の社主の進藤喜平太の子でもあり、福岡市長だった進藤一馬の公認を得た東方会機関誌『東大陸』再刊の記念パーティの録画も、あまり画像がよくないが出てきた。

『東大陸』の再刊は、元新民族派（分かりやすくいえば、新右翼の先駆）の牛嶋徳太朗によるものだった。再刊された『東大陸』誌には、私もエルンスト・ユンガー論や蓮田善明論、皇后ボナパルティズム論その他を寄稿している。

『東大陸』再刊の記念パーティの録画には、東方会の旗を背景に、当時の東方会の幹部や隊員が往時を語るシーンがあり、「この旗の下で闘った」という言葉には、時を越えた力強さが感じられた。他に右翼のお歴々や元楯の会の挨拶もあり、それらの人士と共に食事している私の姿もチラリと映っている。

東方会のエピソードの一つに「米機撃滅、英機撃滅」というポスターの話がある。特高は、この「英機撃滅」とは東條英機のことではないかと詰問したらしいが、東方会は平然とイギリス機だと言ったらしい。しかし、米機はともかく英機は日本空襲に来たのだろうか。
※中野正剛については、拙著『思想としてのファシズム――「大東亜戦争」と１９６８』を参照されたい。

２０１３年７月17日

●解放派の人間の記憶とローザ・ルクセンブルク

日本の新左翼の大半は、後にトロツキーを批判するにせよ、何らかの形でトロツキーを媒介とした初期ボルシェヴィキへの志向が大半だったが、その中で異質だったのが、ローザ・ルクセンブルクの思想に依拠して登場した解放派だった。ローザ・ルクセンブルクは、労働者の自然発生性に対して前衛党の目的意識性の指導を基本とするボルシェヴィキ的な党が一党独裁になることを批判すると同時に、カウツキー的な社会民主主義とも闘った。新左翼の党派で、解放派は私には人間関係的にも最も身近なものだった。まず、同じ中学出身で、中学浪人して私と同じように高校を卒業するのに４年かかった友人が、高校２年の時に、解放派の高校生組織である反帝高評に結成時から参加し、私は彼から盛んにオルグされた。私は、すでに徹底した反マルクス派だったので彼からのオルグは跳ね付け、反マルクス派でありながら、マルクスよりも革命的であると当時は思ったバクーニンを通じてアナキストに、厳密にはバクーニン主義者になり、さらに後にアナキスト革命連合（ＡＲＦ）に結成時から、最年少者として加わることになる。だから、同じ高校にいた中核派の反戦高協からのオルグも、ブント系の大阪府高連のオルグも受けつけず、跳ね返した。

１９６８年春の京大の入試に落ちた私は、そのまま浪人生となり、天王寺にあった全学バリケード封鎖状態の大阪教育大学の学生会館を活動拠点にしていた浪人共闘会議（浪共闘）に参加した。浪共闘には、ブント、中核派、解放派、四トロ、プロレタリア軍団（武装蜂起準備委員会。その高校生組織は、通称・暴革こと暴力革命高校生戦線でリーダーは府立北野）と、マルクス主義諸党派の浪人生が、俗にいう高偏差値の進学校卒の者が多かったにも関わらず、受験勉強もせずに、入試よりも大学解体だという案配で赤、白、青、黒、緑その他の色のヘルメットで集っていたが、大別して、府立中之島図書館とその界隈にいたブントや中核派等の北大阪派と、解放派、四トロ、プロ軍等、大阪教育大や天王寺・阿倍野界隈にいた南大阪派に大別された。私は、浪人生のアナキスト・グループを形成したが、運動の現場で最も親しかったのは解放派だった。府立大手前卒の浪人生を主にした解放派はロシア革命前期の社会革命党にちなんで「エスエル派」と称し、また同党左派のマリア・スピリドーノヴァにちなんで上宮、府立の天王寺と三国ヶ丘の卒業生からなるアナキストは「エスエル左派」と称していた。今も親交のあるゲヴァちゃんこと解放派の川嶋とは、この時以来の付き合いになる。極めて当然なことだが、当時、18歳や19歳という私たちは誰も彼も若かった（笑）。

その後、1970年の春に、来る反安保闘争のために上京し、世田谷の駒沢公園近くで、私が初代の全国委員長だったアナキスト高校生連合（アナ高連）出身の年下の女性と同棲し、近くにあった駒沢大にアナキストの支部を作ろうとして出かけたが、駒沢大は解放派の拠点の一つだった。だから自然と解放派の連中とは顔馴染みとなり、また大阪浪共闘の解放派の上京組も駒沢大に巣食い、浪人生だったが同大の解放派を逆に領導していたのでよけいに親しくなったのだった。

その後、20歳から38歳まで約18年間、東京に住むことになるが、その間、最も親しくなったのも元解放派の中山雅仁だった。九州の解放派の遊撃隊にいた人物で、私が21歳の頃に『情況』や『現代の眼』『映画批評』その他に書いていたアナキズム論その他の文章を読み、連絡してきたので会い、詩人でもある彼と親しくなったのだった。彼とは、1974年頃の国分寺の東元町では同じアパートに住み、1975年の国立駅北口の頃は、近くに住み、また、私が1985年に西新宿のマンションから出た時、小田急線の成城にあった彼が長年連れ添った鶴和子（フラメンコの世界ではカリスマ的な美貌で知られた女性で、彼女の教えを受けたフラメンコ・ダンサーも少なくない。現在はスペイン在住で、数年前、フラメンコのギタリストである彼女の息子と共に来日公演をしている）と同棲していた一軒家にしばらく寄食し、東京での最後の年は、彼女と別れた彼と、東京郊外の町田市の郊外の小田急線の鶴川駅近くで、隣り合わせの家に別個に住んでいた。

革労協と称した解放派もまた中核派と共に、革マル派との凄惨な内ゲバを展開し、また解放派が分裂して内ゲバを繰り広げるが、１９７０年前後の解放派は、感性的革命論を主張し、彼らがローザ・ルクセンブルクに依拠して展開する革命論には、レーニンやトロツキーに依拠したボルシェヴィキ系とは一味異なる新鮮さがあり、青ヘルメットの色に見合った瑞々しい青年党派の様相があった。私は、解放派の人間ではないので、解放派がなぜ、陰惨な内ゲバの党派に転じたのか、その内部事情はよく分からないが、解放派が当初に依拠したローザ・ルクセンブルクを思う時、その理論的な問題点は、当然として、そのボルシェヴィキと社会民主主義に対する批判的な在り方は、ローザ・ルクセンブルクの現実を越えて重要だと思われる。それは、ボルシェヴィキの路線を、後進国の機動戦として相対化し、ヘゲモニー戦を提唱したグラムシの問題をラディカル・デモクラシーとして展開しようとするE・ラクラウやC・ムフらがローザ・ルクセンブルクを批判的に乗り越えようとしているのを見ると、彼らに対するローザの立場からの逆批判には意味があるように思われる。

ところで、ドイツの歴史家のエルンスト・ノルテは、面白いことに、もし、ローザ・ルクセンブルクが長生きしたならば、彼女が構想した革命の戦士の原型を、彼女は、エルンスト・ユンガーが『鋼鉄の嵐の中で』や『内的体験としての戦闘』で描き、構想したドイツの前線兵士に見ることが出来るだろうと述べている。

2016年7月30日

●古いダンボール箱からアナキズム運動の貴重な資料

古いダンボール箱を開けてみると、かなり文書類が出てきた。数年前に、約45年ぶりに再会したアナキスト革命連合（ARF）の元同士から貰った資料と合わせると、かなり貴重な戦後アナキズムの歴史資料となるだろう。まず戦後のアナキズムにおいては画期的存在でもあったベ反委（ベトナム反戦直接行動委員会）が行った東京の田無市にあった日特金（日特金属工業）の工場への襲撃闘争の総括ビラがあり、関西のアナキスト行動戦線のアナキズム再生論、アナキスト革命連合の第3回再編総会の議案文だ。

ベ反委の日特金の工場襲撃闘争は1966年であり、それまで啓蒙活動の域を出ることのなかった戦後のアナキズムにおいて戦後世代のアナキストによる最初の直接行動として知られ、またアナキスト行動戦線のアナキズム再生論は、暴力直接行動論による向井孝一派の非暴力直接行動論の批判であり、文書は1969年春に結成後の組織の中間総括。

同中間総括がいうように、アナキスト革命連合の、1969年の6・15闘争は、戦後の日本のアナキズム運動史上初めて、大衆的な街頭闘争においてアナキストの黒旗が翻った画期的なものだった。つまりアナキストが少数の研究会ではなく、私も参加していたが、組織的な運動として初めて登場したのだった。ただし、当時の権力のアナキズムに対する危険視感は相当なものであり、いまだに大逆事件の予備軍のように見ていたのかもしれない。だからマルクス主義者は、ブントであれ中核派であれ街頭デモが出来たのだが、会場から街頭に出ようとすると、私服と機動隊が襲撃し、合法的なデモさえ許されなかった。

ＡＲＦの中間総括文は、ＡＲＦの事務局と運動現場の意識の齟齬について、かなり詳細に触れているが、これは共産主義者でいえば、党事務局と運動現場の関係の問題であり、アナキストも数名から数十名のサークルレベルではなく、数百名レベルの組織となると（ＡＲＦは約５００名ほどの人員を有した戦後最大のアナキスト組織でもあった）、自由連合という組織的なお題目では済まなくなるということの現れだろう。

１９６８年闘争期の文書は、知る人はご存知だと思うが、ほとんどが手書きのガリ版印刷であり、１９７０年になると活字の前段階ともいえるタイプ印刷が増えはじめる。例えば、１９６９年の大阪芸大夜襲闘争に突撃部隊として参加していた私と根来弘が軸となって作ったＡＲＦの東京支部でもあった無政府共産主義者同盟（黒色ブント）の機関誌『無政府主義』はタイプ印刷だった。ガリ版の文書は、ワープロに変更すれば、読みやすくなるだろう。

戦後アナキズムの「代々木」的存在でもあった日本アナキスト連盟の機関紙『自由連合』もかなり出てきた。思い出せば、当時、高校二年生だった私は、『自由連合』の末期の定期購読者だった。１９６８年のフランスの五月革命でのアナキズムの登場も『自由連合』の記事で追跡していた。その後、私は日本アナ連の批判者となり、そしていうまでもなくＡＲＦは、日本アナ連をはじめ、アナ連的なアナキズムの粉砕の立場だった。

いずれも、今からすれば、歴史資料ならばそうであるような歴史的古証文のようなものだが、当時の関西のアナキズムの資料は、ひょっとすると何処にも残っていないのではないかと思われる。

２０１４年７月30日

◇8月「彼らの兵站はどうなっているのか」

●フランス思想の「外部」は内部の化粧にすぎない

フランス思想がいう外部とは、内部の化粧にすぎない。どういうことか。近代を経験したフランス語には外部がないからだ。それに対して近代が未体験だった近代のドイツ語は、内部の頂点の理性そのものでさえ外部だった。

ドイツ観念論は、いってよければ自我の問題に始まり、自我の理性への昇格で大団円となる。しかし、この自我とは何か。近代におけるフランスの自我とドイツの自我の違いと対極性は、これまで見過ごされてきた。ドイツの自我とは、近代としてのフランスの自我からすれば、他我であり外部になる。

このドイツ的自我の、近代的他我性を歴史や政治思想としていえば、西欧に抵抗するドイツ、反西欧としてのドイツ、ドイツ特有の道というようなものとなる。ドイツの語彙も論理も在り方としてはフランスと同じ表情だ。ドイツの自我とフランスの自我は翻訳可能なように述べられる。しかし翻訳不可なのだ。

このドイツ的自我のさらに外として、近代日本の自我がある。それゆえ、日本の自我は、フランス的な自我とドイツ的な自我に、見えざる分裂をすることになり、問題が見えにくくなる。例えば、戦争期の座談会「近代の超克」が、問題点がバラバラとなり、焦点を結び得なかったのも、そのためでもあろう。

分かりやすい例をあげれば、京都学派だが、京都学派にとってドイツとは何だったのか。ドイツとは、近代の頂点なのか、それとも反近代の近代化なのか。あるいはドイツは西欧の範疇に入るのか、入らないのか。京都学派はこれを看過したため、例えば「世界史の哲学」も机上の題目にしかならなかったのだ。

日本人がフランス思想をやる場合、辞書的な翻訳とは異なるフランス語と日本語の違いは、当然ながら見落とされがちだ。その時、フランス思想の楽屋裏は見えなくなり、フランス思想の舞台を信じてしまうことになる。それは辞書的にも思想的にも間違いはないのだが、そのこと自体が間違っているのだ。

つまり、日本人がフランス思想をやる場合、字面や言葉によって展開されている論理を、正確に、そして緻密に追尾しても駄目だということだ。ところが、研究者にはそれしか出来ない。そして思想の現状が研究者の副業と化していることが、思想が内部的勉強化している所以でもある。勉強は必要だが、勉強は思想ではないということだ。ヘーゲル風にいえば、勉強は思想の予備とでもいえようか。

２０１７年８月３日

●父の戦争体験

ユンガーは第一次大戦の戦場で14度負傷の内、７度重傷で、いわば奇跡的に生還しているが、私の父も、生還出来たのは奇跡的だったらしい。昭和19年の日本軍による中国「大陸打通作戦」の時の、「昭和の２０３高地」といわれた衡陽の凄惨な攻防戦や、米軍飛行場制圧のための芷江《しこう》作戦で米軍機の後のナパーム弾のような攻撃を受けて部隊壊滅の地獄を体験し、全身に弾の痕があり、耳も片方の下半分が吹き飛ばされているが、それでも父親によれば幸運だったらしい。だから復員出来たわけでもあるが、戦場で、隣にいた部下に敵弾が当たり、父親が彼の負傷の具合を確認しようと身を伏せた、その一瞬、敵弾が飛来したらしい。つまり、そこで身を伏せていなければ、敵弾により即死だったとのことだ。その意味で、父親は、よく生きて帰ってこられたのは、全くの偶然で奇跡のようなものだと言っていた。おそらくそうだと思う。ユンガーはそのような体験を少なくとも7度したのだろう。と同時に、生きて帰ったのは誰かということになる。確かに生きて帰ったのは本人だが、その本人とは誰かということだ。父親の場合なら、自分が身を伏せることになった部下の死は、自分の代わりで、そこで死んだのは自分で、生きているのは、実は彼ではないのかということになる。戦場での生死のその後の精神については、このような状態をよく見かける。生き残ってしまったことへの慙愧の念とでもいえようか。ユンガーの『政治評論選』（『追悼の政治』）に「忘れえぬ人々」というユンガー編集の戦死者への追悼論の、「まえがき」と「あとがき」が収録されているが、「忘れえぬ」とは、そのようなことだろう。「忘れえぬ」とは、意識の基底となり、自分の存在の根底となる。戦争体験者における本質的な意味での帰還の不可能性とはこのようなことだろう。

２０１７年8月10日

●中国「大陸打通作戦」——大阪の部隊とアメリカ

アメリカの情報収集力は、到底、日本の比ではないことは改めて言うまでもないだろう。その些細な片鱗とでもいうべきものにチラリと接したことがある。

それは昭和19年（１９４４年）の中国大陸における日本陸軍始まって以来の大作戦といわれた大陸打通作戦における大阪の独立歩兵大隊に関する話だ。

大阪の部隊というと日露戦争の時の「８連隊」と「またも負けたか８連隊」とその軟弱ぶりがユーモアと皮肉を交えて現代でも語られることが多い。そして大阪に限らず、東京、京都、名古屋など都市の連隊は、東北や九州など地方の連隊に比べて軟弱で弱いことも語られ続けている。確かにそういう面はあるだろう。しかし、そこには現代風にいえば都市伝説にすぎない側面もあることも否定出来ない。そしてそれを証した一例として上記の大阪の独立歩兵第１１５大隊がある。

この大隊は、大陸打通作戦の前半の湘珪作戦において衡陽で米軍の支援により最新式の装備で強大なトーチカに立て籠もる中国軍の攻略にかかった。この大隊の戦闘記録係でもあった機関銃中隊の元曹長の方の記した文書を読ませてもらったが、「昭和の２０３高地」（伊藤正徳）とも徒名された衡陽攻防戦は言語を絶する凄惨なものだった。丘の上にある中国軍のトーチカめがけて日本軍は突撃をするのだが、トーチカからの激しい機銃掃射のために、丘はたちまちにして日本兵の死体の山となった。大阪の独立歩兵大隊は約１５００名ほどの部隊だが、半時間ほどで５００名の兵員を失い、さらに数分後には３００名以下にまでなるという苦戦ぶりだった。指揮下の兵を喪失した小隊長クラスの士官たちも、一団となった「将校突撃」で戦死した。一方、中国側も大阪の部隊の「死神をもおそれぬ戦いぶり」（中国側の指揮官で戦後、台湾の陸軍中将になった方先覚の言葉）にそれ相応の損害を受けており、日本側に降伏を申し入れてきた。その時、大阪の独立歩兵大隊は１００名以下になっており、事実上、部隊として壊滅した大阪の部隊と交代すべく新手の熊本の部隊が布陣していた。熊本の部隊が中国軍の降伏を受け入れようとすると中国軍指揮官の方先覚は、「我々は、戦った部隊に降伏したい」と言い、熊本の部隊による収容を拒否し、もはや部隊の態をなしていないまでに壊滅した大阪の部隊に正式に降伏を申し入れてきたのだった。

その後、この大阪の独立歩兵大隊は再編され、昭和２０年（１９４５年）には、中国南部の「芷江」にあったアメリカ空軍の基地を破壊し制圧する目的の芷江作戦に出撃した。ところが細長い山狭を進んでいる時にアメリカ空軍の、現代風にいえばナパーム弾的攻撃に遭遇し、辺りは阿鼻叫喚の地獄となり部隊は四散した。チリヂリになった部隊は、それぞれに最新装備の中国軍の包囲下に置かれ、日本軍の伝統では全滅以外に方途はなかった。しかし、生き残った最上位士官で中隊長の小笠原大尉は、かろうじて使用しえた無線で、中国軍に包囲されて点在している残存部隊に、各個、包囲を突破して師団本部に戻り、作戦の推移を報告せよ、と命じたのだった。これは実は、生きて帰れという、日本軍にはあってはならない退却命令にも等しいものだった。しかし、この命令のおかげで部隊の生き残りの人たちは、中国軍の包囲を突破し、全滅することなく敗戦を迎え、日本に帰還し、戦後を生き残ることが出来たのであり、歩兵砲中隊にいた私の父もその一人だった。

ところが、戦後、この時の小笠原大尉の命令が問題となったらしい。防衛庁の戦史部による芷江作戦の記述には、小笠原大尉の判断は命令違反であるとする批判と、アメリカ軍の攻撃で四散したこの部隊のサバイバルを軍規違反であり、あってはならない退却であったと記してあったのだった。戦後になってもこのような認識に基づく記述がなされていることに驚くが、これに対して冒頭で述べた大隊の記録係の機関銃中隊の元曹長は、防衛庁を相手に「戦友たちの名誉のために」、戦史記述の訂正をめぐっての喧嘩を始めたのだった。なぜ防衛庁編纂の戦史に現場の部隊に対する露骨な批判的記述があったのかというと、この作戦を立案した参謀や本部で誤った指揮をした旅団長たちが、この戦史記述に関係し、自分達の責任を回避するために部隊壊滅の責任を現場の指揮官に押しつけ、また部隊の動きについても否定的な記述をしたとのことだった。この時、私が感心したのは、元曹長の防衛庁との喧嘩ぶりだった。元曹長は証拠資料の提出が、防衛庁による資料の隠匿にならぬよう細心の注意を払った対応をしていたのだ。私はそこに前線のベテランの下士官の、いわば職人的な強者ぶりの一端を見たような気がしたものだった。

長々と書いてきたが、冒頭の話に戻ると、この元曹長は、防衛庁編纂の戦史に対抗すべく、自身の手で、当時の戦闘記録に基づいた大隊戦史を書き、自費出版していたのである。それは目立たない、ほとんど自分用のつつましい自費出版の印刷物にすぎなかった。ところが、どこでそのようなものがあることを知ったのか、アメリカの国防省の戦史関係部門から正式に購入の連絡が来たのだった。アメリカは戦後も何十年も経っているのに日本軍の一大隊の、それも私製のささやかな戦史をも資料として収集しているのである。防衛庁の姿勢と比べて、その元曹長は、日本がアメリカに負けた理由が実感としてよく分かると、夏の暑い日、大隊の慰霊祭として訪れた靖国神社で私に話してくれたのだった。

※ 話を付け加えると小笠原大尉は横笛の名手でもあったらしく、芷江作戦で指揮下の部隊が小隊や分隊単位で中国軍に各個包囲された時、手元にあった横笛を吹いた。明かり一つ無い闇夜で散り散りになり、息を潜めていた部隊の兵士たちは、その聞き覚えのある笛の音に「中隊長殿の無事だ」と確認し、士気を維持したとのことだった。また機関銃中隊の元曹長の能勢の自宅を訪ねたことがあったが、この戦後は農業を営んでいた元曹長は自宅の庭に、芷江作戦の地の方に向けた私設の慰霊碑を建てていた。この元曹長が指揮した機関銃中隊の残存部隊の包囲突破と退却戦は、中国軍の武器の種類から、中国軍の射撃が終わった後、彼らの弾の補充に何秒かかるかを瞬間的に判断

し、その数秒間に移動するとか、部隊が前進する時の序列は、残存して保持している使用可能な武器の種類に応じて編成するというリアルで冷静な現場の判断に基づいたもので、現場の戦闘はこのようにやるのかと思うほどのものだった。芷江作戦を生き残った父親からも、阿鼻叫喚の戦場から如何に生き延びたのかという話を、歩きながら寝るコツなど、まだ父親が生きていた頃に少し聞いたことがあった。父親の片方の耳は下半分が、敵弾により無くなっており、腕にも弾の跡があったが、戦後は中国に残り馬賊にでもなろうかと思ったというやんちゃな父親からは、戦争に対する否定的な感想は聞いたことがなかった。父親は1969年の東大安田講堂戦の時に、昼間から帰宅し、中継のテレビ放送を興味深く見ていたが、ひとこと、立てこもっている全共闘の学生たちについて「彼らの兵站はどうなっているのか」と元軍人的な感想を口にしたことを覚えている。兵站とはいうまでもなく補給体制のことだが、父親はそこに戦後世代における戦闘行為の伝承を見ていたのかもしれず、またかつての日本軍の兵站の不十分さや崩壊ぶりを連想していたのかもしれない。

2012年10月11日

●保元の乱と河内源氏の動向

イーストマンの文献とまったく関係ないが、「レーニン死後」を、「義家死後」にすれば、八幡太郎義家死後の源氏の推移をへゲモニー闘争の様相から見えてくる。義家は、武家となった清和源氏の中でも源満仲の三男の源頼信を祖とする河内源氏であり（頼信の長兄で満仲の嫡子の源頼光は、大江山絵詞で知られるが、摂津源氏の祖、次兄の源頼親は大和源氏の祖）、頼信、頼義、義家の三代において東国の在地武士を郎党化し、関東を強力な勢力圏としたが、本拠地は、祖の源頼信以来、河内国古市群石川庄の壷井だった。現在の住所でいえば、大阪府羽曳野市の壷井だ。大阪といえば、一般には江戸時代のイメージから武士のイメージはほど遠く、また壷井は大阪府下なので、都市としての大阪とは離れた処になるが、それでも大阪に含まれるだろう。そしてその大阪が武家の棟梁の本拠地、つまり武家のリーダーとされた源義家と彼の率いる源氏武士団の本拠地だったということだ。後に鎌倉幕府を開く源頼朝や、その弟の源義経、さらには木曽義仲（源義仲）の数代前の先祖は、大阪を本拠地としていた。

ところで八幡太郎こと源義家の後継者だった源義親は、義家勝りの武家だったらしいが、朝廷に歯向かう行動をしたため討伐され、その後を継いだのが源為義だった。この為義が参加した歴史的な合戦に保元の乱がある。後白河天皇と崇徳上皇が、皇位継承問題や摂関家の内紛により対立し、合戦に及んだものだ。この合戦では、為義と、その子の鎮西八郎為義その他が上皇方に、為義の嫡子の義朝は天皇方に与し、親子が対立し合戦に及んだことが知られている。『保元物語』には、為義側の豪傑の為朝と、為義に弓を向けた、そして為朝の兄になる義朝との対峙が描かれている。

合戦の推移はともかく、この保元の乱で疑問に思うのは、天皇方についた源義朝は、関東から多数の郎党を動員したのに対して、上皇方の源為義は兵力が極めて少なかったといわれることだ。なぜ、為義は、兵力が少なかったのか。というのも近隣には、河内源氏の本拠地の壷井があり、そこには源氏武士団がおり、さらに為義は河内源氏の棟梁でもある。為義の兵力が少なかったということは、河内源氏の武士団を動員出来なかったからだろう。では、為義は棟梁なのに、なぜ動員出来なかったのか。私見では、河内源氏の武士団がサボタージュしたのではないかと思われる。

では、なぜサボタージュしたのか。それは河内源氏の武士団を直接に統率することとなった人物の動向から推察出来ると思う。その人物とは、義家の六男（五男という説もあるが）で、河内源氏の本拠地の壷井を相続した陸奥六郎と称した源義時だ。詳しい推移はさておけば、義家の死後の源氏の棟梁の継承問題において、兄の義親の死後、義時は自分がその番になると思ったらしい。ところがそうではなく、義親の子の為義が後継者となり、義時は、それが気に入らなかったのではないかと思われる。河内源氏の本拠地を任され、しかも河内源氏の棟梁になる気があった源義時にしてみれば、これは私の勝手な推論にすぎないが、甥であり、棟梁の器があるのかどうか分からない源為義の配下になる気にはなれなかったのではないか。だから義時は、たぶん為義から来た出陣の催促を無視したのではないだろうか。

河内源氏の本拠地は、保元の乱に続く平治の乱にも兵を出すことはなかった。平治の乱を起こした関東を本拠地とした河内源氏の義朝と、本拠地の河内に蟠踞《ばんきょ》した河内源氏は縁遠くなっており、その結果、平家の天下においても、河内源氏が現存する、その本拠地の石川の壷井は、平家からすれば危険地域として監視体制下に置かれるが、逼塞しながらも存続することになり、そして、以仁王の令旨による源氏の武装蜂起の際、河内源氏の本拠地もまた源義時の子の源義基、孫の石川判官代こと源義兼以下、蜂起し、後に鎌倉幕府の御家人となった義兼は、「河内随一の源氏」と、やはり河内源氏の子孫の源頼朝から形容されている。

２０１７年３月９日

●ドイツ思想史における音楽家ワーグナー

音楽家のワーグナーは、反ユダヤ主義者でもあり、ヒトラーがワーグナー信奉者だったことは有名だが、ワーグナーの「未来の芸術作品（Das Kunstwerk der Zukunft）」や『音楽におけるユダヤ性（Das Judentum in der Musik）』その他によると、ワーグナーにとってのユダヤ主義とは、金銭による支配であり、金融至上の世界の謂であり、国民的個別性を使用価値とするならば、それを持たないとされたユダヤ人は全き交換価値的な人間となり、その象徴的な表現が、金貸し、高利貸しとしてのシェイクスピアの『ヴェニスの商人』に描かれたシャイロックだろう。

ユダヤ人を、経済的存在であり、金融支配の現実と捉える見方は、近代には少なくなく、また、資本主義を批判した左翼の社会主義者には、ユダヤ＝資本主義と捉え、反ユダヤ的な立場の者も少なくなく、プルードンもそうであり、マルクスも『ユダヤ人問題によせて』において、ユダヤ的なものについて批判的に論及している。またマルクスがいう、下部構造としての経済という事態は、ユダヤ的現実の抽出ともいえるだろう。

この問題を取り上げたジェフリー・メールマンは『巨匠たちの聖痕』（国文社）において、ブランショやジッドその他のフランスの反ユダヤ主義者の反「反ユダヤ」主義への転換の「キアスム的」構造を指摘したが、万物の民営化、つまり万物の交換価値化としての金融資本主義は、ワーグナー的にいえば、汎ユダヤ主義的ということになる。しかし、ユダヤ性を交換価値化と捉え、経済に対して、何らかの非経済的なもの（政治的なもの、精神的なもの、表現的なもの、宗教的なもの）の使用価値を対抗させたり、経済を逆支配することは、経済的支配からの解放をもたらすだろうか。むしろ、使用価値による地獄を創出するのではあるまいか。少なくとも歴史が示した現実はそうだった。しかし、金融支配は経済を目的化し、守銭奴性を構造的に汎通的現実とする。地獄へ行くか、守銭奴になるか、それに対する第三の選択として、地獄でも守銭奴の国でもない第三帝国は可能なのだろうか。

ワーグナーは音楽家だから、あまり思想史には登場しないが、ヘーゲル左派以降のドイツ思想史において、マルクスらが「ドイツ・イデオロギー」として批判的に総括したドイツ思想史における重要な存在だ。ヘーゲル左派、ドイツ初期社会主義とドイツ・ファシズムを繋ぐ接点になるだろう。

2016年8月18日

●マルクスの思想は資本主義の存在論的把握

マルクスの思想は、資本主義の批判と、社会主義の主張において、異質なものの二本立てとなっている。マルクスが同時代の多くの社会主義者の資本主義批判と異なった点は、マルクスの資本主義批判は存在論的だったが、他の社会主義者のそれは経済政策的だったことだ。しかしマルクスは社会主義の主張においては政策的になっている。

存在論と政策的視点は、突き詰めれば背馳しあうことになる。存在論的な資本主義批判と、政策的な社会主義の主張の間の、原理と状況の矛盾に対するものが、それ自体が矛盾でもある過渡期としてのプロレタリア独裁だろう。過渡期とは矛盾を維持する期間だからだ。マルクスの革命論はそこで存在論的なものと政策的なものの両面を持つ。

マルクスの革命論の政策的要素すなわち改良的側面を、革命の存在論から批判したのが、マルクスのプロレタリア独裁論を批判したバクーニンだった。バクーニンは、政策的なマルクスの改良的変革論に対して原理的な革命論を対置した。このバクーニンの立場は、資本主義批判におけるマルクスの立場と対応するといえる。そしてマルクスの改良的変革論の政策的側面を強調し、それを主義化したのがエンゲルスであり、エンゲルスにより作られたマルクス主義の後継がカウツキーらドイツの社民になる。

カウツキーらの社民に対して、レーニンは、エンゲルス流のマルクス主義ではなく、バクーニン主義的な革命の存在論を志向する。それが『国家と革命』であり、メンシェヴィキのプレハーノフらはレーニンをバクーニン派と批判した。だが、そのレーニンらボルシェヴィキも権力を握り、社会主義の主張となると政策化してしまい、スターリン主義への導入となり、トロツキズムはスターリン主義左派にすぎないともいえる。問題は、資本主義の存在論的批判の政治的展開だ。

『資本論』等におけるマルクスの資本主義論を経済学と捉えてはいけない。マルクスは経済学の範疇で論を展開しているが、そこにおける経済とは、生の現実ということであり、経済として現象している存在の内容ということだ。もし、その資本主義論を経済学と見るならば、マルクスの思想など過去の遺物になるだろう。

フレドリック・ジェイムソンの『21世紀に、資本論をいかによむべきか？』ではないが、マルクスの思想が、今でも読むに値する現在のものであるとするならば、それは資本主義の存在論的把握、経済学の範疇と語彙を使用しているが、商品を物神と捉える本質的に存在論である資本主義論だろう。だが同時にマルクス思想の困難性もそこにある。存在論は現実化が困難であり、その困難性を担わねばならないからだ。

２０１７年８月22日

●『ドイツ・イデオロギー』の本論の半分以上はシュティルナー批判

マルクス・エンゲルスの『ドイツ・イデオロギー』の本論の半分以上はシュティルナー批判だ。それほど彼らにはシュティルナー問題が大変で悪戦苦闘したのだろうが、そのシュティルナー批判は完全な的外れ。シュティルナーの思想の読解は、当時のドイツ語の一人称をどう読むかにある。

マルクス思想研究者の試金石は、マルクスのシュティルナー批判を、どう読んでいるかにかかっているともいえる。ミシェル・アンリの『マルクス』も、ジャック・デリダの『マルクスの亡霊たち』もそうであり、後年の『資本論』の思想の読解においても例外ではない。

マルクスとエンゲルスが、分からなかったのは、シュティルナーのいう「唯一者」だ。マルクスらは、これを「諸個人」の一人と読むのだが、「唯」と「諸」は正反対であり（ここは論文ではないので、それぞれのドイツ語の原語の釈義は省く）、唯一者は諸個人の否定であり、諸個人は唯一者の隠蔽だ。しかも、当時のドイツ語の状況から唯一者の一人称は個たりえない。

日本ではダダイストの一人とされる辻潤は、シュティルナーの最初の翻訳者でもある。辻のシュティルナー読解には肯えない点も多々あるが（それはダダイズム理解にも関係する）、ダダイストはシュティルナーを読むべきだ。そしてシュティルナーの一人称を近代的一人称と読む通常の読解を拒否することだ。

あまり知られていないが、ユンガーは若い頃に、シュティルナーを読んでいる。忘却されたままのシュティルナーを再評価したのはエドゥアルト・フォン・ハルトマンの『無意識の哲学』だが、世紀末象徴主義に影響を与えたハルトマンの哲学が若きユンガーにシュティルナーへの案内をしたのかもしれない。

２０１８年８月23日

ら行

や行

ま行

な行

は行

た行

さ行

か行

Ⅲ　人名・著作名 索引

あ行

千坂恭二（ちさか　きょうじ）
1950年、大阪市生まれ。上宮高校在学中からアナキズム運動に参加、アナキスト高校生連合全国委員長に。伝説の編集者・松田政男から「戦後最年少のイデオローグ」と命名され、「映画批評」「情況」「現代思想」などに執筆。1973年『歴史からの黙示』（田畑書店、2019年、増補版として『歴史からの黙示―アナキズムと革命』航思社が刊行）で注目を浴びる。
長い沈黙の後、1995年、立命館大学文学部哲学科に社会人入学。ここでエルンスト・ユンガーの研究を通じて日本ファシズムの源流などに取り組み、ドイツ・ファシズム論と合わせ独自の思想・運動論を展開し、若手に熱狂的な支持を得ている。
著書に『思想としてのファシズム―「大東亜戦争」と1968』（彩流社）などがある。

哲学問答《てつがくもんどう》2020
――ウイルス塹壕戦《ざんごうせん》

二〇二〇年十月二十日　第一版第一刷発行

著　者　千坂恭二
発行者　菊地泰博
発行所　株式会社現代書館
東京都千代田区飯田橋三―二―五
郵便番号　102-0072
電　話　03（3221）1321
FAX　03（3262）5906
振　替　00120-3-83725

組　版　具羅夢
印刷所　平河工業社（本文）
東光印刷所（カバー）
製本所　鶴亀製本
装　幀　佐々木正見

 ISBN978-4-7684-5890-7